esca
chicago

Superficie: 592 km²

Population: 2 695 000 hab. (ville),
9 680 000 hab. (zone métropolitaine)

Troisième ville des États-Unis après
New York et Los Angeles

Point le plus haut: Willis Tower (527,3 m)

Fuseau horaire: Central (UTC –6)

ULYSSE

Crédits

Auteur : Claude Morneau
Éditeur : Pierre Ledoux
Adjointes à l'édition : Julie Brodeur, Annie Gilbert
Correction : Pierre Daveluy
Conception graphique : Pascal Biet

Conception graphique de la page couverture, mise en page et cartographie : Judy Tan
Photographie de la page couverture : Le complexe de Marina City © Dreamstime.com/Stephen Finn

Cet ouvrage a été réalisé sous la direction de Claude Morneau.

Remerciements

Merci à Emmy Carragner de Choose Chicago et à Gregory Stepanek de la Chicago Transit Authority.

Guides de voyage Ulysse reconnaît l'aide financière du gouvernement du Canada par l'entremise du Fonds du livre du Canada (FLC) pour ses activités d'édition.

Guides de voyage Ulysse tient également à remercier le gouvernement du Québec – Programme de crédit d'impôt pour l'édition de livres – Gestion SODEC.

Guides de voyage Ulysse est membre de l'Association nationale des éditeurs de livres.

Note aux lecteurs

Tous les moyens possibles ont été pris pour que les renseignements contenus dans ce guide soient exacts au moment de mettre sous presse. Toutefois, des erreurs peuvent toujours se glisser, des omissions sont toujours possibles, des adresses peuvent disparaître, etc.; la responsabilité de l'éditeur ou des auteurs ne pourrait s'engager en cas de perte ou de dommage qui serait causé par une erreur ou une omission.

Écrivez-nous

Nous apprécions au plus haut point vos commentaires, précisions et suggestions, qui permettent l'amélioration constante de nos publications. Il nous fera plaisir d'offrir un de nos guides aux auteurs des meilleures contributions. Écrivez-nous à l'une des adresses suivantes, et indiquez le titre qu'il vous plairait de recevoir.

Guides de voyage Ulysse
4176, rue Saint-Denis, Montréal (Québec), Canada H2W 2M5, www.guidesulysse.com, texte@ulysse.ca

Les Guides de voyage Ulysse, sarl
127, rue Amelot, 75011 Paris, France, www.guidesulysse.com, voyage@ulysse.ca

Catalogage avant publication de Bibliothèque et Archives nationales du Québec et Bibliothèque et Archives Canada

Vedette principale au titre :

    Morneau, Claude, 1961-
    Escale à Chicago
    2e édition.
    Comprend un index.
    ISBN 978-2-89464-440-9
    1. Chicago (Ill.) - Guides. I. Titre.
    F548.18.M672 2014   917.73'110444   C2013-942678-7

© Guides de voyage Ulysse inc.
Tous droits réservés
Bibliothèque et Archives nationales du Québec
Dépôt légal – Quatrième trimestre 2014
ISBN 978-2-89464-440-9 (version imprimée)
ISBN 978-2-76580-964-7 (version numérique PDF)
ISBN 978-2-76580-955-5 (version numérique ePub)
Imprimé en Italie

sommaire

↘

le meilleur de chicago 7

explorer chicago 27

chicago pratique 163

Typiquement américaine de par sa composition humaine, un spectaculaire *melting pot* où tous ont influencé le devenir de la mégalopole, Chicago l'est aussi par sa folie des grandeurs, sa démesure.

Cette ville à l'histoire fascinante, on la découvre déjà un peu grâce à ses nombreux surnoms. Chicago, c'est la *Windy City*, ville caressée par le vent venant du lac Michigan, auquel on voue ici un véritable culte. Chicago, c'est la *City of Big Shoulders*, ville laborieuse «aux larges épaules» des travailleurs des aciéries et des parcs à bestiaux de jadis. Chicago, c'est *The Second City*, ou la fierté d'avoir érigé une «seconde ville» après la destruction de la première lors du Grand Incendie de 1871.

Aujourd'hui, ses imposants gratte-ciel célèbrent l'architecture moderne, ses œuvres d'art public signées par de grands maîtres illuminent ses rues, ses musées renferment des trésors extraordinaires, ses quartiers ethniques grouillent de vie... Et ce n'est pas tout: chics boutiques, bourdonnante vie nocturne, majestueux parcs aux abords du lac, campus universitaires innombrables, sympathiques équipes sportives et demeures élégantes de ses beaux quartiers figurent aussi sur la longue liste des atouts de la Ville des Vents. Voilà Chicago!

le meilleur de chicago

chicago

En **10** images emblématiques

5 La sculpture réfléchissante *Cloud Gate*, du Millennium Park (p. 54)

7 Le métro aérien (*El*) qui circule autour des gratte-ciel du Loop (p. 180)

8 La Willis Tower (ex-Sears Tower) (p. 38)

6 Le John Hancock Center (p. 75)

9 La sculpture écarlate *Flamingo* d'Alexander Calder (p. 37)

10 La marquise du Chicago Theatre (p. 34)

En quelques heures

↘ Une balade en bateau sur la Chicago River (p. 192)
  L'impression de pénétrer dans une forêt de gratte-ciel.

↘ Un saut au Millennium Park (p. 54)
  La découverte de fontaines monumentales, de sculptures publiques
  modernes et de l'extraordinaire Jay Pritzker Pavilion de Frank Gehry.

↘ Une visite éclair de l'Art Institute of Chicago (p. 47)
  Émerveillement garanti devant ses chefs-d'œuvre impressionnistes et
  postimpressionnistes, plus grande collection du genre hors de France.

En une journée

Ce qui précède plus…

↘ Une incursion dans la toute récente Modern Wing de l'Art Institute
  (p. 49)
  Quelques heures en compagnie de Dalí, Magritte et les autres, dans de
  splendides salles baignées de lumière naturelle.

↘ Une exploration à la recherche des œuvres d'art public du Loop
  (p. 28)
  Quelques heures en compagnie de Picasso, Miró, Chagall, Calder et les
  autres, à ciel ouvert.

↘ Un peu de lèche-vitrine sur le Magnificent Mile (p. 68)
  Le plaisir d'arpenter l'avenue de prestige de la ville.

En un long week-end

Ce qui précède plus…

↘ Une excursion à vélo sur le Lakefront Trail (p. 110)
La meilleure façon d'apprécier la singulière cohabitation des vertigineuses tours du centre-ville et de l'immensité du lac Michigan.

↘ Une promenade du côté du Museum Campus (p. 59)
Le sentiment d'accéder à toutes les connaissances humaines sur l'univers au Field Museum of Natural History, au John G. Shedd Aquarium et à l'Adler Planetarium.

↘ Une virée dans un bar de blues bondé
Une ambiance unique façonnée par les irrésistibles riffs de guitare de musiciens inspirés.

↘ Une ascension au sommet d'un des gratte-ciel géants de la ville
À l'observatoire du 94e étage du John Hancock Center (p. 75) ou à celui du 103e étage de la Willis Tower (p. 38).

↘ Quelques visites pour faire plaisir aux enfants (ou à l'enfant en vous)
Le Chicago Children's Museum de Navy Pier (p. 111), le Lincoln Park Zoo (p. 128) ou le Museum of Science and Industry (p. 133) par exemple.

↘ Une exploration du campus de l'University of Chicago
Une balade hors du temps à la découverte de splendides édifices néogothiques, de la Robie House (p. 138), magnifique *Prairie House* signée Frank Lloyd Wright, et de musées méconnus comme l'Oriental Institute Museum (p. 138) et le Smart Museum of Art (p. 139).

En **10** repères

1 Architecture moderne

Au lendemain du Grand Incendie (voir plus loin), la reconstruction de la ville attire de grands architectes venus des quatre coins des États-Unis. Toutes les expérimentations sont alors permises, et ainsi naîtra l'architecture moderne. La création de la structure d'acier et du mur rideau, puis l'invention de l'ascenseur, favoriseront l'émergence du gratte-ciel. On parlera alors de l'«école de Chicago». Par la suite, Chicago s'efforcera de continuer à jouer un rôle de leader dans l'évolution de l'architecture, permettant à de grands innovateurs comme Frank Lloyd Wright, Mies van der Rohe et plusieurs autres de s'exprimer.

2 Art public

Une promenade dans les rues du centre-ville, surnommé le Loop, permet de contempler des œuvres emblématiques signées par les Picasso, Miró, Calder, Chagall, Dubuffet, Oldenburg… L'aménagement récent du Millennium Park a donné un second souffle au développement d'une collection déjà riche, avec l'ajout d'éléments spectaculaires comme la *Cloud Gate* d'Anish Kapoor et la *Crown Fountain* de Jaume Plensa.

3 Blues

Le *Chicago blues*, ancêtre du rock, vit le jour après la Seconde Guerre mondiale, lorsque la guitare électrique fit son apparition. Willie Dixon, Otish Rush, Howlin' Wolf, Muddy Waters et les frères Leonard et Phil Chess, fondateurs des légendaires studios d'enregistrement Chess, comptent parmi les pionniers du *Chicago blues*, que perpétuent aujourd'hui des musiciens comme Buddy Guy.

4 Burnham Plan

L'architecte Daniel H. Burnham, l'homme derrière la *World's Columbian Exposition* de 1893, est l'auteur de ce plan d'urbanisme adopté en 1909, auquel les acteurs du développement de la ville se réfèrent toujours aujourd'hui. Parmi les axes principaux identifiés dans ce plan visionnaire, mentionnons la préservation de l'accès public aux abords du lac Michigan par l'élaboration d'un réseau de parcs riverains.

5 Al Capone

Le plus célèbre gangster de l'époque de la Prohibition est devenu une figure mythique de Chicago. Il ordonna le «Massacre de la Saint-Valentin» en 1929, se débarrassant du coup de sept membres d'un gang rival. Les incorruptibles d'Eliot Ness finiront par le coffrer pour évasion fiscale en 1931.

En **10** repères *(suite)*

6 *Deep-dish pizza*

Comme son nom l'indique, on prépare la *deep-dish pizza* dans un moule profond qui, à sa sortie du four (après 45 min), libère une pizza de 6 cm d'épaisseur convenant bien aux gros appétits. On reconnaît à Ike Sewell, cofondateur de la Pizzeria Uno (voir p. 95) en 1943, la paternité de ce plat typiquement chicagoen.

7 Expositions universelles

Deux expositions universelles ont été tenues à Chicago. La *World's Columbian Exposition* de 1893 constitue un moment clé dans l'histoire de la ville. On aménagea alors la célèbre White City de Daniel Burnham pour accueillir 26 millions de visiteurs dans la partie sud de la ville. Des inventions comme le métro aérien, la grande roue (Ferris Wheel) et les Cracker Jack virent alors le jour. Puis, en 1933-34, l'exposition *Century of Progress* attira 39 millions de visiteurs en bordure du lac Michigan, tout juste au sud du Loop.

8 Le Grand Incendie

En 1871, Chicago fut en grande partie dévastée par une conflagration qui dura trois jours, rasa 18 000 bâtiments, jeta à la rue plus de 100 000 personnes et en tua 300 autres. Au lendemain de la catastrophe, les Chicagoens s'employèrent à construire une nouvelle ville, qui valut à Chicago l'un de ses surnoms : *The Second City* (la deuxième ville).

9 Sport professionnel

Le sport professionnel occupe une grande place à Chicago avec des clubs vénérés comme les Bears (football américain), les Blackhawks (hockey; champions de la Coupe Stanley en 2013), les Bulls (basketball; équipe gagnante de six championnats en huit ans dans les années 1990, menée par le légendaire Michael Jordan), les White Sox et les Cubs (baseball). Cette dernière équipe serait, selon la croyance populaire, victime d'un mauvais sort, le *Curse of the Billy Goat*, depuis le jour en 1945 où l'on interdit l'accès au stade au bouc (*goat*) de William Sianis, propriétaire de la Billy Goat Tavern (voir p. 77). Furieux, celui-ci lança alors sa cruelle malédiction, et les pauvres Cubs n'ont plus jamais participé à la Série mondiale de baseball depuis (leur dernière conquête du championnat remonte à 1908!).

10 Oprah Winfrey

Reine incontestée du talk-show télévisé, Oprah Winfrey est une des figures emblématiques de Chicago. Sa popularité a atteint de tels sommets qu'elle est aujourd'hui considérée comme une des femmes les plus riches et les plus influentes d'Amérique! Au fil des années, son empire médiatique s'est étendu au point où elle est aujourd'hui à la tête de magazines et de ses propres chaînes de télévision et de radio.

En **15** dates importantes

1 **1673 :** le Québécois Louis Jolliet et le jésuite français Jacques Marquette explorent la région lors d'une expédition qui les mène à la découverte du Mississippi.

2 **1779 :** Jean Baptiste Point DuSable installe un camp de trappeur sur la rive nord de la Chicago River.

3 **1803 :** établissement du fort Dearborn sur la rive sud de la Chicago River.

4 **1837 :** incorporation de Chicago en tant que ville.

5 **1865 :** ouverture des Union Stockyards, célèbres abattoirs qui ne fermeront leurs portes qu'en 1971.

6 **1871 :** la ville est détruite par le Grand Incendie. Déclenchée, selon la légende, par une des vaches de Patrick et Kate O'Leary ayant fait tomber une lanterne, la conflagration fait rage pendant trois jours, jette à la rue 100 000 personnes et en tue 300 autres.

7 **1893 :** tenue de la *World's Columbian Exposition*, qui attira 26 millions de visiteurs sur le site de l'actuel **Jackson Park**.

8 **1900 :** inversion par un mécanisme composé d'écluses et de contre-pentes du courant de la Chicago River, dont les eaux polluées en amont

par le déversement de déchets industriels ne se jetteront dès lors plus dans le lac Michigan, là où Chicago s'approvisionne en eau potable.

9 **1909 :** adoption par la Ville du plan d'aménagement de Daniel Burnham, auquel elle se réfère toujours aujourd'hui.

10 **1929 :** sept rivaux d'Al Capone sont assassinés lors du «Massacre de la Saint-Valentin».

11 **1933-34 :** tenue de l'exposition internationale *Century of Progress* en bordure du lac Michigan et sur la Northerly Island.

12 **1955 :** première élection à la mairie de Richard J. Daley. Il règnera pendant 21 ans.

13 **1983 :** Chicago élit son premier maire afro-américain : Harold Washington.

14 **1989 :** Richard M. Daley, fils de Richard J. Daley, accède à son tour au poste de maire, qu'il ne quittera qu'en 2011.

15 **2008 :** Barack Obama, résident de Chicago et sénateur de l'Illinois, devient le premier Afro-Américain à être élu président des États-Unis.

En 5 expériences uniques

1 Un match des Cubs au Wrigley Field (p. 144)

2 Un tour de métro aérien dans le Loop (p. 28)

3 Une pointe de *deep-dish pizza* (p. 95)

4 Une balade à vélo sur le Lakefront Trail (p. 110)

5 Un bain de soleil sur l'**Oak Street Beach**, au pied d'un des plus hauts gratte-ciel de la ville (p. 115)

En 5 grands parcs

1 Le Grant Park (p. 47)

2 Le Millennium Park (p. 54)

3 Le Lincoln Park (p. 124)

4 Le **Jackson Park** (p. 132)

5 Le Washington Park (p. 140)

En **10** expériences culturelles

En **10** endroits
pour faire plaisir aux enfants

En 12 icônes architecturales

En 5 attraits gratuits

En 5 expériences pour les amateurs de sport

En **5** belles terrasses

1 Le C-View de l'hôtel MileNorth Chicago (p. 79)

2 **Sixteen**, le restaurant du Trump International Hotel & Tower (p. 98)

3 Le Park Grill, dans le Millennium Park (p. 58)

4 Smith & Wollensky, grilladerie aux abords de la Chicago River (p. 98)

5 Terzo Piano, sur le toit de la Modern Wing de l'Art Institute (p. 53)

En **5** vues exceptionnelles

1 Le Loop depuis le **Ledge at Skydeck** de l'observatoire de la Willis Tower (p. 38)

2 Le centre-ville et les abords du lac Michigan depuis le sommet du John Hancock Center (p. 75)

3 La silhouette des gratte-ciel de la ville depuis le parvis

du John G. Shedd Aquarium (p. 62)

4 Le Wrigley Building depuis le Michigan Avenue Bridge (p. 69)

5 Le Jay Pritzker Pavilion et les autres attraits du Millennium Park depuis le Nichols Bridgeway (p. 56)

En **5** grandes tables

1 Alinea (p. 147)

2 **L20** (p. 131)

3 Tru (p. 79)

4 Everest (p. 42)

5 Blackbird (p. 155)

En **5** classiques de la cuisine locale

1 Une *deep-dish pizza* à la Pizzeria Uno (p. 95)

2 Une *chicken pot pie* au restaurant Walnut Room (p. 42)

3 Un *cheeseburger* à la **Billy Goat Tavern** (p. 77)

4 Un steak bien juteux chez Gibsons (p. 121)

5 Une expérience gastronomique chez Alinea (p. 147)

En **5** tables créatives

En **5** incontournables du lèche-vitrine

En **10** hauts lieux de la vie nocturne

explorer
chicago

1

Le Loop

À voir, à faire
(voir carte p. 31)

Le quartier des affaires de Chicago s'est vu attribuer le surnom de «Loop» lorsque fut achevée la voie aérienne du métro qui décrit une boucle (*loop* en anglais) autour de ses édifices. Il est délimité à l'ouest et au nord par la Chicago River, à l'est par Michigan Avenue et au sud par Congress Parkway. Ce quartier constitue toujours aujourd'hui le cœur économique, politique et culturel de la Ville des Vents.

C'est en semaine et durant la journée que le **Loop** ★★★ est le plus animé. Une foule compacte s'y active alors au pied de ses innombrables tours de bureaux. State Street, quant à elle, attire les amateurs de lèche-vitrine grâce à ses célèbres grands magasins et à ses boutiques en tout genre, ce qui lui assure des samedis tout aussi vivants. En soirée, une fois les bureaux fermés et les acheteurs partis, le quartier se vide et ses rues se font beaucoup plus tranquilles, sauf dans le Theatre District.

Le circuit débute au sud du Michigan Avenue Bridge. Dirigez-vous vers le sud sur Michigan Avenue.

Carbide & Carbon Building ★ [1]
230 N. Michigan Ave.

Cette élégante tour Art déco se dresse à l'angle sud-ouest de Michigan Avenue et de Wacker Place. Contrairement à la majorité des constructions Art déco de Chicago, cet édifice datant de 1929 se pare de matériaux de couleurs foncées (granit et marbre noirs à la base, terre cuite vert foncé pour la tour). À la suite d'une rénovation majeure, le **Hard Rock Hotel** y a emménagé en 2003.

Poursuivez vers le sud.

Chicago Cultural Center.

Les édifices bordant le côté ouest de Michigan Avenue, au sud de la Chicago River, forment un ensemble remarquable. Faisant face au Grant Park, ces constructions sont en quelque sorte devenues la «façade de la ville», un concept que l'on retrouvait dans le plan d'aménagement élaboré par Daniel Burnham au début du XXᵉ siècle.

Chicago Cultural Center ★ ★ [2]

entrée libre; lun-jeu 9h à 19h, ven 9h à 18h, sam 9h à 18h, dim 10h à 18h; 78 E. Washington St., www.chicagoculturalcenter.org

Construit en 1897 pour loger la Chicago Public Library, l'édifice néoclassique qui abrite le Chicago Cultural Center s'inscrit dans la foulée de la *World's Columbian Exposition* de 1893, qui a engendré la création d'une série impressionnante d'institutions culturelles à Chicago.

L'intérieur est à ne pas manquer, avec son monumental escalier de marbre et sa majestueuse décoration composée entre autres d'éléments de bronze et d'une grande coupole recouverte de beaux vitraux. Des visites guidées *(mer, ven et sam à 13h15)* permettent entre autres de découvrir le Preston Bradley Hall et son extraordinaire dôme de verre signé Louis Comfort Tiffany, auquel une restauration majeure récente a redonné son éclat d'origine. Une grande variété d'activités gratuites y est proposée: concerts, films, conférences, spectacles de danse, etc. On y trouve aussi un des bureaux de **Choose Chicago** *(tlj horaire variable; 77 E. Randolph St., www.choosechicago. com)*, l'office de tourisme de la ville.

Le Loop

À voir, à faire ★

1.	CV	Carbide & Carbon Building/Hard Rock Hotel
2.	CW	Chicago Cultural Center/Choose Chicago
3.	CX	People's Gas Building
4.	CX	Chicago Symphony Center/Theodore Thomas Orchestra Hall Building
5.	CX	Chicago Architecture Foundation
6.	CY	Auditorium Building
7.	CY	Harold Washington Library Center
8.	CW	Carson Pirie Scott Store
9.	CW	Marshall Field Store
10.	CW	Oriental Theatre/Ford Center for the Performing Arts
11.	CW	Chicago Theater
12.	BW	James R. Thompson Center/Monument with Standing Beast
13.	BW	Chicago City Hall-County Building
14.	BW	Richard J. Daley Center/Untitled Picasso
15.	BW	Chicago Temple/Chicago/Sky Chapel
16.	BW	Chase Tower/Four Seasons
17.	BX	Federal Center
18.	BX	Everett McKinley Dirksen Building
19.	BX	John C. Kluczynski Building
20.	BX	U.S. Post Office Loop Station/Flamingo
21.	BX	Chicago Board of Trade
22.	BX	Federal Reserve Bank
23.	BX	The Rookery
24.	AX	Willis Tower/Skydeck/The Ledge at Skydeck
25.	AX	Union Station
26.	AW	Civic Opera House
27.	AV	333 W. Wacker Drive

Cafés et restos ●

28.	CV	Aria
29.	CW	Atwood Café
30.	CW	Caffè Baci
31.	BX	Everest
32.	CW	Filini Bar and Restaurant
33.	CW	Henri
34.	BX	Italian Village/Vivere/The Village/La Cantina
35.	BW	La Trattoria No. 10
36.	AX	Lou Mitchell's
37.	CY	Mercat a la Planxa
38.	CX	Russian Tea Time
39.	CW	Tavern at the Park
40.	CX	The Berghoff
41.	CW	The Gage
42.	CW	Walnut Room

Bars et boîtes de nuit ♪

43.	CY	Buddy Guy's Legends
44.	CV	Eno Wine Room
45.	CY	Jazz Showcase
46.	CY	Kitty O'Shea's

Salles de spectacle ◆

47.	CY	Auditorium Theatre
48.	CX	Chicago Symphony Center

Lèche-vitrine ■

49.	CV, CY	Arts and Artisans
50.	CV	Blackhawks Store
51.	CW	Block Thirty Seven/Disney Store/Godiva/PUMA/HotTix
52.	CX	Chicago Architecture Foundation
53.	CX	CSO Symphony Store
54.	CW	Macy's
55.	AW	The Boeing Store
56.	CW	The Jeweler's Center at the Mallers Building

Hébergement ▲

57.	CZ	Essex Inn
58.	CV	Fairmont Chicago, Millennium Park
59.	CV	Hard Rock Hotel Chicago
60.	BW	Hotel Allegro
61.	CW	Hotel Burnham
62.	CV	Hotel Monaco
63.	CW	Radisson Blu Aqua Hotel Chicago
64.	CY	Renaissance Blackstone Chicago Hotel
65.	CV	Renaissance Chicago Downtown Hotel
66.	CW	theWit – A Doubletree Hotel
67.	BX	W Chicago City Center
68.	BY	Wyndham Blake Chicago

Le Loop

La Route 66

Les amateurs de routes mythiques remarqueront, du côté nord d'Adams Street, entre les avenues Michigan et Wabash, le panneau qui indique le début de la fameuse Route 66, surnommée la «Main Street of America», qui s'étendait jadis jusqu'à Santa Monica en Californie, soit quelque 4 000 km plus loin.

La Route 66 traversait huit États (Illinois, Missouri, Kansas, Oklahoma, Texas, Nouveau-Mexique, Arizona et Californie) et trois fuseaux horaires. Elle fut construite entre 1926 et 1937 à partir de tronçons de route déjà existants.

Vous longerez ensuite le **Millennium Park** (voir p. 54), prolongement récent du **Grant Park** (voir p. 47).

En vous retournant, vous pourrez jeter un coup d'œil sur les tours qui composent le New East Side, au nord du Millennium Park et tout juste à l'est de Michigan Avenue. Le grand bâtiment blanc qui domine ce groupe est l'**AON Center**, le troisième plus haut édifice de la ville. L'**Aqua Tower**, terminée en 2010 selon les plans de l'architecte Jeanne Gang, attire également l'attention dans ce secteur grâce à son allure ondulante sculptée par les terrasses et la fenestration de ses appartements.

People's Gas Building [3]
122 S. Michigan Ave.

Plus loin, le People's Gas Building, bâti en 1910 par l'architecte Daniel Burnham, cache sa structure d'acier typique de l'«école de Chicago» derrière une lourde façade comprenant colonnes ioniques et lions sculptés. Vous avez alors atteint la hauteur de la rue où s'élève l'**Art Institute of Chicago** (voir p. 47), qui se trouve juste en face. Depuis les grandes marches de ce musée, on peut bien apprécier la série de belles façades donnant sur Michigan Avenue.

Chicago Symphony Center (Theodore Thomas Orchestra Hall Building) [4]
220 S. Michigan Ave., 312-294-3000

Du même architecte que le People's Gas Building, cet édifice date de 1905. Sur sa façade georgienne, on remarque les hautes fenêtres cintrées à l'étage, derrière lesquelles s'étend la salle de bal. Au-dessus de chacune, les noms de grands musiciens ont été gravés.

Chicago Symphony Center.

Chicago Architecture Foundation ★ [5]

entrée libre; sam-jeu 9h à 18h30, ven 9h à 19h; 224 S. Michigan Ave., 312-922-3432, www.architecture.org

La Chicago Architecture Foundation propose des expositions temporaires sur l'architecture. Le Shop & Tour Center est, quant à lui, le point de départ des visites guidées à pied organisées par la fondation.

Auditorium Building ★★★ [6]

50 E. Congress Pkwy., 312-341-2310, www.auditoriumtheatre.org

Chef-d'œuvre de l'ingénieur Dankmar Adler et du designer Louis H. Sullivan, cet édifice innovait à l'époque de sa construction (1887-1889) par sa structure permettant de réunir en un seul bâtiment une grande salle de spectacle, un hôtel et un immeuble de bureaux. Pendant qu'Adler réalisait cette prouesse technique, Sullivan dessina une façade rythmée au moyen de formes géométriques simples rappelant les travaux de son maître, Henry Hobson Richardson. La décoration intérieure qu'il imagina pour la salle de spectacle de 4 300 sièges lui conféra une allure monumentale et somptueuse.

Prenez Congress Parkway à droite, puis State Street de nouveau à droite.

Harold Washington Library Center ★★ [7]

lun-jeu 9h à 21h, ven-sam 9h à 17h, dim 13h à 17h; 400 S. State St., 312-747-4300, www.chipublib.org

L'impressionnante bibliothèque publique principale de la ville a été ainsi nommée en 1991 en l'honneur du premier maire afro-américain de Chicago. Sa composition

laquelle entoure les vitrines comme le feraient des cadres somptueux.

Marshall Field Store ★[9]
Macy's, 111 N. State St.

Une succursale de Macy's loge depuis quelques années dans le célèbre édifice construit à l'origine pour le Marshall Field Store. Quatre colonnes ioniques marquent l'entrée principale de ce grand magasin conçu par Daniel Burnham et aménagé entre 1892 et 1914. Remarquez les horloges qui ornent les angles de l'édifice donnant sur State Street. À l'intérieur, dans la partie sud-ouest, vous pouvez voir une superbe coupole réalisée par Louis Comfort Tiffany.

architecturale réunit l'ancien (le classicisme des lignes principales) et le moderne (le mur de verre et d'acier de la façade ouest ou encore le splendide atrium situé à l'étage supérieur). Abritant plus de 2 millions de livres, elle est une des plus grandes bibliothèques au monde.

Carson Pirie Scott Store ★★★ [8]
Sullivan Center, 1 S. State St.

L'ancien magasin Carson Pirie Scott, où loge aujourd'hui une succursale de City Target, est considéré comme le chef-d'œuvre de Louis H. Sullivan (1899). Vous ne pourrez le manquer avec son extraordinaire porte d'entrée en rotonde, à l'ornementation riche et d'une rare finesse. Sullivan conçut une gracieuse broderie au niveau du rez-de-chaussée et du premier étage,

Oriental Theatre [10]
24 W. Randolph St.

Rue Randolph, à l'ouest de State Street, ne manquez pas de jeter un coup d'œil sur l'Oriental Theatre, rénové ces dernières années dans la foulée de la revitalisation du **Theatre District** (voir l'encadré p. 45) et maintenant connu sous le nom de **Ford Center for the Performing Arts**.

Chicago Theatre ★[11]
175 N. State St., 312-462-6300,
www.thechicagotheatre.com

La splendide marquise du Chicago Theatre compte parmi les icônes de la ville. Il s'agit de l'un des plus anciens théâtres de cinéma et de vaudeville de Chicago (1921), ainsi

1. Carson Pirie Scott Store.
2. Marshall Field Store.

que de l'un de ses plus grands (3 800 sièges).

Tournez à gauche dans Lake Street, puis de nouveau à gauche dans Clark Street.

James R. Thompson Center ★★ [12]
100 W. Randolph St.

Cette remarquable construction postmoderne convexe en verre fut terminée en 1985 selon les plans de Helmut Jahn. En y pénétrant, vous accédez à un immense atrium, haut de 17 étages, comprenant boutiques, restaurants et bureaux de fonctionnaires de l'État de l'Illinois. Devant le bâtiment, on a posé la sculpture moderne intitulée **Monument with Standing Beast** (monument à la Bête Debout), conçue en fibre de verre blanc et noir par l'artiste français Jean Dubuffet en 1969 et installé sur le site en 1984.

Chicago City Hall-County Building ★ [13]
bordé par les rues Clark, LaSalle, Randolph et Washington

L'immense hôtel de ville de Chicago couvre tout le quadrilatère situé au sud du James R. Thompson Center. Cet édifice dessiné par Holabird & Roche en 1911 présente une fenestration réduite et, surtout, une impressionnante colonnade se répétant sur ses quatre faces. Le complexe est en fait formé de deux bâtiments mitoyens : la moitié ouest abrite la mairie, et la section est, le County Building.

Tournez à gauche dans Washington Street.

Flamingo.

Richard J. Daley Center ★★ [14]

quadrilatère délimité par les rues Washington, Dearborn, Randolph et Clark

Anciennement connue sous le nom de Chicago Civic Center, cette tour d'acier et de verre teinté noir imite la manière de Mies van der Rohe, qui, contrairement à ce que l'on pourrait croire a priori, n'a d'aucune façon participé à l'élaboration de ce projet. La grande place est quant à elle devenue célèbre grâce à la présence de l'énigmatique sculpture d'acier de Pablo Picasso **Untitled Picasso** ★.

Chicago Temple ★ [15]

77 W. Washington St., www.chicagotemple.org

De l'autre côté de Washington Street, la sculpture colorée de Joan Miró, simplement intitulée **Chicago** (1981), fait écho à l'œuvre de Picas-so (1967). C'est là que l'on trouve le Chicago Temple, où loge la First United Methodist Church. Avec ses 29 étages, elle serait la plus haute église du monde (170 m). Il s'agit en fait d'une tour de bureaux sur laquelle on a «posé» une chapelle gothique comportant une élégante flèche dont la hauteur équivaut à celle d'un bâtiment de sept étages. Des visites guidées de cette chapelle, baptisée **Sky Chapel** ★, sont organisées *(lun-sam à 14h)*.

Prenez Dearborn Street à droite.

Chase Tower ★ [16]

quadrilatère délimité par les rues Dearborn, Madison, Clark et Monroe

On ne peut manquer la belle silhouette élancée de la Chase Tower, construite en 1969. La place en gradins qui s'étend devant le gratte-ciel est agrémentée d'une jolie fontaine, de cafés-terrasses et d'une étonnante mosaïque de Marc Chagall intitulée **_Four Seasons_** ★, réalisée en 1974.

Federal Center ★★ [17]
Dearborn St., entre Jackson St. et Adams St.

Le Federal Center est l'une des plus brillantes réalisations de Ludwig Mies van der Rohe à Chicago. Conçu entre 1959 et 1974, il comprend l'**Everett McKinley Dirksen Building** [18] *(219 S. Dearborn St.)*, l'élément le plus ancien de l'ensemble (1959-1964), le **John C. Kluczynski Building** [19] *(230 S. Dearborn St.)*, une tour de 45 étages terminée en 1974, et la **U.S. Post Office Loop Station** [20] *(219 S. Clark St.)*, une construction d'un seul étage située au nord de la place centrale. Il s'agit d'un exemple parfait du style international développé par Mies van der Rohe : structure d'acier, murs-rideaux de verre, absence totale d'ornementation. Au centre de la place, la monumentale sculpture d'Alexander Calder **_Flamingo_** ★ (1974), avec ses courbes généreuses et son rouge éclatant, offre un heureux contraste.

Prenez Jackson Boulevard à droite.

Chicago Board of Trade ★★ [21]
141 W. Jackson Blvd.

La tour Art déco (1930) du Chicago Board of Trade est considérée par plusieurs comme la plus réussie, dans ce style, à Chicago. Sur une base haute de neuf étages, dans laquelle se trouvent les parquets de la Bourse de Chicago, repose la tour de 45 étages coiffée d'un toit de forme pyramidale sur lequel on a posé une statue haute de 10 m de Cérès, déesse romaine des moissons.

Tournez à droite dans LaSalle Street, qui est en quelque sorte la Wall Street de Chicago, avec ses banques et ses édifices abritant les bureaux d'opérateurs financiers.

Federal Reserve Bank ★ [22]
entrée libre; lun-ven 8h30 à 17h; 230 S. LaSalle St., www.chicagofed.org

La Federal Reserve Bank renferme un petit musée numismatique qui comprend quelques bornes interactives, des billets de banque anciens, ainsi qu'une sorte de grand aquarium dans lequel on a placé un million de billets de 1$!

The Rookery ★★ [23]
209 S. LaSalle St.

The Rookery, le chef-d'œuvre du duo Burnham et Root, s'élève avec magnificence depuis 1888. Au centre de l'édifice se trouve une cour intérieure surmontée d'une verrière. Entre 1905 et 1907, Frank Lloyd Wright entreprit la restauration de cette partie du bâtiment. Le résultat obtenu, que l'on peut toujours admirer aujourd'hui, fut simplement fabuleux. Les beaux escaliers monumentaux, le marbre blanc et les feuilles d'or utilisées dans la décoration, ainsi que la lumière du jour pénétrant sans entrave, contribuent à une composition empreinte de vie et de raffinement.

Le Loop

Le Loop

Tournez à gauche dans Adams Street.

Willis Tower ★ ★ ★ [24]
accès au Skydeck 18$; avr à sept tlj 9h à 22h, oct à mars tlj 10h à 20h; entrée sur Jackson Blvd., www.theskydeck.com

Mieux connu sous son ancien nom de Sears Tower, ce gratte-ciel de 110 étages fut le plus haut d'Amérique jusqu'à l'inauguration du One World Trade Center de New York en 2014. Construite entre 1968 et 1974, cette monumentale sculpture moderne en verre et en acier culmine à 442 m (527 m en incluant les antennes placées au sommet). Le hall principal est pour sa part orné d'une installation sculpturale colorée, œuvre d'Alexander Calder intitulée *The Universe*, qui évoque la théorie du big bang à l'aide de divers mobiles et éléments muraux.

Au 103e étage de la Willis Tower a été aménagé un observatoire où il faut se rendre par temps clair: le **Skydeck**. On raconte que, quand le ciel est dégagé, il est possible d'apercevoir le paysage de quatre États différents. À l'été 2009 fut inauguré **The Ledge at Skydeck ★ ★ ★**, une série de boîtes de verre rétractables qui s'avancent hors de la structure pour offrir une vue sans obstruction sur tous les côtés… et même sous vos pieds.

Traversez ensuite la rivière par le pont d'Adams Street.

Union Station ★ [25]
210 S. Canal St.

Il s'agit de l'une des dernières grandes gares ferroviaires américaines (sa construction remonte à 1925). Son austère façade cache entre autres une vaste salle d'attente garnie de

1. Willis Tower.
2. Civic Opera House.

belles colonnes corinthiennes. Vous y accéderez en descendant l'escalier dans lequel fut tournée une scène mémorable du film *Les Incorruptibles* de Brian De Palma.

Revenez du côté est de la rivière et empruntez Wacker Drive à gauche.

Civic Opera House ★ [26]
20 N. Wacker Dr.

Cet imposant bâtiment est la demeure officielle du Lyric Opera of Chicago. Il renferme deux salles à sa base, l'une consacrée à l'opéra et comprenant 3 500 sièges, et l'autre de 900 places réservée au théâtre. Ces salles supportent le poids d'une massive tour de bureaux. L'ensemble intègre des éléments classiques (la colonnade longeant Wacker Drive) et des lignes Art déco.

Poursuivez ensuite votre route vers le nord. À la hauteur de Lake Street, Wacker Drive, qui suit le cours de la rivière, entreprend son virage vers l'est et le lac Michigan.

333 W. Wacker Drive ★★ [27]
À cet endroit, on a élevé la belle tour du 333 W. Wacker Drive, dont la forme cintrée épouse la courbe dessinée par la rivière. Il s'agit d'un élégant édifice postmoderne érigé en 1983.

À partir d'ici, vous apprécierez la vue dégagée, que permet la présence de la rivière, sur quelques beaux bâtiments situés sur sa rive nord. C'est le cas par exemple du gigantesque **Merchandise Mart**, des tours jumelles du complexe **Marina City** (voir p. 85), du **330 North Wabash** (voir p. 85), œuvre emblématique de Mies van der Rohe anciennement connue sous le nom d'IBM Regional Office Building, et de l'imposant **Trump Internatio-**

Le Loop

333 W. Wacker Drive.

nal Hotel & Tower (voir p. 84). Une promenade donnant sur la Chicago River permet d'apprécier tous ces bâtiments. Durant la belle saison, elle est envahie par les **Riverwalk Cafés**. Il s'agit d'établissements temporaires où certains restaurants de Chicago proposent un aperçu de leur menu.

Cafés et restos
(voir carte p. 31)

Caffè Baci $ [30]
dim-lun 9h à 19h, mar-jeu 8h à 21h, ven 8h à 22h; sam 9h à 22h; 20 N. Michigan Ave., 312-214-2224

Fort joli café italien situé tout juste en face du Millennium Park. Déco moderne, où domine le blanc. Au petit déjeuner, plusieurs omelettes originales sont proposées, alors qu'un beau choix de salades et de sandwichs à l'italienne est à signaler pour le reste de la journée.

Lou Mitchell's $ [36]
lun-ven 5h30 à 15h, sam-dim 7h à 15h; 565 W. Jackson Blvd., 312-939-3111

Lou Mitchell's est une sorte d'institution à Chicago depuis 1923. Il s'agit d'un *diner* classique qui se spécialise dans la préparation de copieux repas du matin. Omelettes géantes, gaufres et crêpes surdimensionnées. Paiements en espèces seulement.

Atwood Café $$ [29]
lun-sam 7h à 21h30, dim 8h à 21h30; Hotel Burnham, 1 W. Washington St., 312-368-1900

Joli café aux accents Art déco installé dans l'**Hotel Burnham** (voir p. 169), à l'angle des rues Washington et State. On y propose une cuisine américaine sans prétention et on y sert le thé en après-midi, ce qui ravira les amateurs de magasinage qui fréquentent State Street.

The Berghoff $$ [40]
lun-ven 11h à 21h, sam 11h30 à 21h, dim fermé; 17 W. Adams St., 312-427-3170

Fondé en 1898, le Berghoff est une autre institution de Chicago. De nombreuses photographies d'époque, notamment de l'exposition universelle de 1893, ornent les murs. Au menu, assiettes de viande fumée, poulet *schnitzel*, filets de porc rôti, côtes levées...

Tavern at the Park $$-$$$ [39]
lun-jeu 11h à 22h, ven 11h à 22h30, sam 12h à 22h30, dim fermé; 130 E. Randolph St., 312-552-0070

Tout juste en face du Millennium Park, le Tavern at the Park propose un décor tout simple qu'animent les nombreuses affiches et photos anciennes de Chicago. Au menu, classiques du *comfort food* à l'américaine : côte de bœuf braisée, côtelettes de porc, *chicken pot pie*.

Aria $$$ [28]
dim-jeu 6h à 22h, ven-sam 6h à 22h30;
Fairmont Chicago Millennium Park, 200 N. Columbus Dr., 312-444-9494

Décor à la fois moderne et chaleureux, dans un étonnant espace semi-circulaire. Cuisine qui s'inspire de pays asiatiques, mais aussi de France et des États-Unis : bisque de champignons, *chow mein* au canard rôti et au homard, filet mignon et steak frites.

Filini Bar and Restaurant $$$ [32]
dim-jeu 6h30 à 22h, ven-sam 6h30 à 23h;
Radisson Blu Aqua Hotel Chicago, 221 N. Columbus Dr., 312-477-0234, www.filinichicago.com

Menu de spécialités italiennes assez élaboré, dans une élégante mise en scène design et sensuelle des plus recherchées. Belle sélection de fromages, de bruschettas, de risottos et de pâtes. Situé au pied de l'intrigante Aqua Tower.

The Gage $$$ [41]
dim 10h à 22h, lun 11h à 22h, mar-ven 11h à 2h, sam 10h à 24h; 24 S. Michigan Ave., 312-372-4243

Sorte de pub irlandais de luxe, ou *gastropub*, aménagé au rez-de-chaussée de l'historique Gage Building, en face du Millennium Park. Pub traditionnel à l'avant et grande

The Berghoff.

salle à manger à l'arrière. Portions généreuses. Bon choix de bières et de whiskeys irlandais.

Italian Village $$$ [34]
71 W. Monroe St., 312-322-7005

L'Italian Village abrite en fait trois restaurants italiens de genres différents : **Vivere** (cuisine contemporaine inspirée des gastronomies régionales italiennes), **The Village** (spécialités traditionnelles de l'Italie du Nord) et **La Cantina** (fruits de mer apprêtés à l'italienne).

Russian Tea Time $$$ [38]
dim-jeu 11h à 21h, ven-sam 11h à 23h; 77 E. Adams St., 312-360-0000

La magnifique mise en scène du chic Russian Tea Time rappelle certains passages du film *Doctor Zhivago*. Vodka et caviar vont bien dans ce cadre, mais le chef concocte aussi toute une gamme d'autres spécialités: *kabob* d'esturgeon, bœuf Stroganov.

La Trattoria No. 10 $$$ [35]
lun-jeu 11h30 à 21h, ven 11h30 à 22h, sam 17h à 22h, dim fermé; 10 N. Dearborn St., 312-984-1718

L'une des adresses favorites des travailleurs du Loop amateurs de mets italiens contemporains. Les raviolis, spécialité de la maison, les médaillons de veau et les fruits de mer sont particulièrement appréciés. Buffet servi en semaine entre 17h et 19h30.

Walnut Room $$$ [42]
dim-lun 11h à 15h, mar-sam 11h à 19h; Macy's, 111 N. State St., 312-781-3125

Inauguré en 1907 au septième étage du grand magasin **Macy's** (voir p. 44), autrefois le célébrissime Marshall Field. Décor classique, serveurs en smoking, cuisine traditionnelle. La *chicken pot pie* (sorte de vol-au-vent au poulet ou de bouchées à la reine) est un *must*.

Everest $$$$ [31]
mar-jeu 17h30 à 21h, ven 17h30 à 21h30, sam 17h à 22h, dim-lun fermé; One Financial Place, 440 S. LaSalle St., 40e étage, 312-663-8920

Chic établissement juché au 40e étage du Chicago Stock Exchange. Maintes fois honoré des plus prestigieuses récompenses, l'Everest est une des grandes tables de la ville et même des États-Unis entiers. Cuisine alsacienne de haut niveau. Tenue de ville requise.

Henri $$$$ [33]
lun-jeu 11h à 22h, ven 11h à 22h30, sam 17h à 22h30, dim 17h à 21h; 18 S. Michigan Ave., 312-578-0763, www.henrichicago.com

Élégant resto de cuisine française (sole de Douvres, cassoulet de lapin, coq au vin, crème brûlée) mis sur pied par la même équipe que **The Gage** (voir p. 41), dont il est voisin. Son nom rend hommage à Louis Henri Sullivan, auteur de la façade du bâtiment où loge l'établissement. Ambiance romantique. Service exceptionnel.

Mercat a la Planxa $$$$ [37]
dim-jeu 7h à 22h, ven-sam 7h à 23h; The Blackstone, A Renaissance Hotel, 638 S. Michigan Ave., 312-765-0524

Vibrant resto de cuisine catalane dont le décor, où le foisonnement de couleurs évoque joliment Barcelone, séduit à coup sûr. Les amateurs de tapas y trouveront leur bonheur, de même que ceux qui préfèrent paella, poissons ou grillades.

Bars et boîtes de nuit (voir carte p. 31)

Buddy Guy's Legends [43]
droit d'entrée; lun-mar 17h à 2h, mer-ven 11h à 2h, sam 12h à 3h, dim 12h à 2h; 700 S. Wabash Ave., 312-427-1190, www.buddyguys.com

On n'a pas le droit d'aller à Chicago sans faire une halte à ce temple du blues. Le décor ne présente aucun intérêt, mais la musique, elle, est souvent fabuleuse! Les meilleurs musi-

Auditorium Theatre.

Le Loop

ciens s'y produisent régulièrement, dont Buddy Guy lui-même à l'occasion.

Eno Wine Room [44]
tlj 16h à 24h; The Fairmont Chicago Millennium Park, 200 N. Columbus Dr., 312-946-7000

Ce bar à vins des plus invitants propose plus de 300 vins différents, dont plusieurs vendus au verre, mais aussi 35 variétés de fromages et un menu de chocolats en truffes ou en tablettes.

Jazz Showcase [45]
droit d'entrée; 806 S. Plymouth Ct., 312-360-0234, www.jazzshowcase.com

Cette institution de Chicago (1947), où tous les grands jazzmen ont joué, a déménagé dans la **Dearborn Station Galleria**, qui ferme au sud Dearborn Street, surnommée Printer's Row à cette hauteur. Concerts

de jazz tous les soirs à 20h et 22h, et le dimanche après-midi à 16h.

Kitty O'Shea's [46]
tlj 11h à 2h; Hilton Chicago, 720 S. Michigan Ave., 312-294-6860

Au Hilton Chicago, c'est au pub irlandais Kitty O'Shea's que l'on se donne rendez-vous. Des musiciens irlandais qui jouent des chansons traditionnelles de leur pays d'origine animent l'endroit six soirs par semaine.

Salles de spectacle
(voir carte p. 31)

Auditorium Theatre [47]
50 E. Congress Pkwy., 312-341-2310, www.auditoriumtheatre.org

Splendide salle de 4 000 places dans laquelle sont présentés des *musicals* à la Broadway.

Le Loop

Theatre District.

Chicago Symphony Center [48]
220 S. Michigan Ave., 312-294-3000
La demeure du Chicago Symphony Orchestra.

Lèche-vitrine

(voir carte p. 31)

Mail commercial

Block Thirty Seven [51]
108 N. State St., 312-261-4700,
www.blockthirtyseven.com

Parmi les boutiques-vedettes de ce mail inauguré à la fin des années 2010, mentionnons un **Disney Store**, le chocolatier **Godiva**, le fabricant d'articles de sport **PUMA** et un comptoir **HotTix** (billets de spectacle).

Grand magasin

Macy's [54]
111 N. State St., 312-781-1000, 312-335-7700
C'est toute une commotion que provoqua en 2005 le rachat de Marshall Field, fleuron du commerce de détail de Chicago, par sa rivale new-yorkaise Macy's. Une exposition de photographies, au septième étage, rend toutefois hommage à Marshall Field et à son rôle dans l'histoire de la ville.

Architecture

Chicago Architecture Foundation [52]
Santa Fe Building, 224 S. Michigan Ave., 312-922-3432, www.architecture.org
Siège principal de l'organisation. Jeux éducatifs, livres et objets divers sur le thème de l'architecture de Chicago et d'ailleurs. En plus de la boutique, l'endroit abrite un musée d'architecture, et l'on peut

Le Theatre District

Dans sa volonté de revitaliser le secteur du Loop, l'administration municipale a lancé ou financé de nombreux projets au cours des dernières années. La remise en état d'un quartier des théâtres en plein cœur du quartier des affaires compte parmi les plus réussies de ces initiatives. Aujourd'hui, des banderoles et des inscriptions sur les trottoirs délimitent le Chicago Theatre District le long et aux abords de Randolph Street.

De nouvelles salles se sont ainsi ajoutées au Chicago Theatre, au Shubert Theatre (devenu le Bank of America Theatre) et à l'Auditorium Theatre, soit un ajout de 10 000 places de théâtre aux 15 000 sièges déjà existants dans le centre-ville.

Le vénérable **Oriental Theatre** fut rénové et est maintenant connu sous le nom de **Ford Center for the Performing Arts** *(24 W. Randolph St.)*; le Palace Theatre connaît une seconde vie sous le nom de **Cadillac Palace Theatre** *(151 W. Randolph St.)*; la plus ancienne troupe de Chicago, la Goodman, a élu domicile dans le **New Goodman Theatre** *(170 N. Dearborn St., 312-443-3800, www.goodmantheatre.org)*; et le **DCA Storefront Theatre** *(66 E. Randolph St., 312-742-8497)* est voué à la présentation de pièces montées par de petites troupes locales.

Le Loop

s'inscrire à des visites commentées de la ville.

Artisanat

Arts and Artisans [49]
Hilton Chicago, 720 S. Michigan Ave., 312-786-6224; 321 N. Michigan Ave., 312-541-1951; 35 E. Wacker Dr., 312-578-0126; www.artsartisans.com

Jolies boutiques débordant de beaux objets de verre, de sculptures en bois ou en métal, de bijoux et de céramiques signés par des artisans américains. Plusieurs adresses dans le Loop.

Bijoux

The Jeweler's Center
at the Mallers Building [56]
5 S. Wabash Ave., 312-424-2664, www.jewelerscenter.com

Une incroyable concentration, sur 13 étages, de bijoutiers et de manufacturiers de bijoux (plus de 190).

Le Loop

Blackhawks Store.

Ce véritable coffre aux trésors existe depuis 1921 et a récemment fait l'objet d'une rénovation complète. Ouvert tous les jours, sauf le dimanche, de 9h à 17h. Plusieurs autres bijouteries se trouvent dans cette portion de Wabash Avenue surnommée « Jeweller's Row ».

Cadeaux et souvenirs

The Boeing Store [55]
410 W. Washington St., 312-544-3100, www.boeingstore.com

Le géant de l'aéronautique Boeing a déménagé son siège social mondial à Chicago il y a quelques années. S'y trouve aujourd'hui une jolie boutique qui propose des modèles réduits, des jouets et de nombreux autres objets pour collectionneurs.

Disques et musique

CSO Symphony Store [53]
Chicago Symphony Center, 220 S. Michigan Ave., 312-294-3345

Boutique officielle du Chicago Symphony Orchestra (CSO).

Sport

Blackhawks Store [50]
333 N. Michigan Ave., 312-464-2957

Un trésor pour les fans des Blackhawks et pour tout amateur de hockey sur glace. Chandails, casquettes et articles de toutes sortes aux couleurs de l'équipe professionnelle de hockey de Chicago. Vous y trouverez même des briques de l'ancien Chicago Stadium.

2 ↘

Le Grant Park

À voir, à faire
(voir carte p. 51)

Le **Grant Park** ★★★ est un vaste espace vert qui longe le lac Michigan à la hauteur du centre-ville. En plus de ses belles allées et de ses beaux jardins ornés de fontaines et de monuments, on y trouve l'une des institutions qui font la fierté de la ville : l'Art Institute of Chicago.

Ce remarquable parc urbain est devenu un important lieu de rassemblement lors des grands festivals de l'été, ou d'événements spéciaux comme les célébrations suivant la conquête d'un championnat par l'une des équipes sportives de la ville, ou l'élection à la présidence de Barack Obama, en novembre 2008, alors que plus de 240 000 personnes l'ont acclamé ici.

Le site prit le nom de Grant Park en 1901 en l'honneur du président des États-Unis Ulysses S. Grant, natif de l'État de l'Illinois. On en confia alors l'aménagement aux frères Olmsted, fils du grand architecte paysagiste Frederick Law Olmsted, qui imaginèrent un grandiose parc aux lignes formelles, à la manière des jardins de Versailles.

Le circuit débute aux portes de l'Art Institute of Chicago, dont l'entrée principale donne sur Michigan Avenue, à la hauteur d'Adams Street.

Art Institute of Chicago ★★★ [1]
23$; dim-mer et ven-sam 10h30 à 17h, jeu 10h30 à 20h; 111 S. Michigan Ave., 312-443-3600, www.artic.edu

Longeant Michigan Avenue, l'Art Institute of Chicago demeure la plus importante construction du Grant Park. L'édifice originel, celui qui donne sur Michigan Avenue et que l'on appelle aujourd'hui l'«Allerton Building», fut d'abord utilisé comme bâtiment annexe au cours

Le Grant Park

1. *Lions* de bronze de l'Art Institute of Chicago.

2. Modern Wing.

de la *World's Columbian Exposition*, et ce, même si le site principal de celle-ci se trouvait en fait quelques kilomètres plus au sud. Après l'exposition internationale, l'Art Institute y emménagea à la fin de 1893. À l'Allerton Building originel furent ajoutés d'autres bâtiments annexes au cours des années, le musée s'étendant ainsi vers l'arrière au-dessus des voies ferrées. Parmi ces ajouts figurent la Hutchison Wing et la McKinlock Court (1924), le Ferguson Building (1958), le Morton Wing (1962) et le Rice Building (1988). Finalement, la Modern Wing fut inaugurée en 2009 dans la partie nord-est de la propriété du musée, devant le Millennium Park.

Autour de ce musée aux lignes classiques se dressent quelques monuments dignes d'attention. On ne peut par exemple rater les deux fiers **Lions** ★ de bronze placés à chacune des extrémités du grand escalier menant à l'entrée principale. Devenues les symboles de l'Art Institute, ces sculptures sont signées Edward Kemeys et furent installées dès 1894.

Ce sont ses **trésors impressionnistes et postimpressionnistes** ★★★ (étage supérieur de l'Allerton Building) qui ont rendu célèbre de par le monde l'Art Institute of Chicago. Il s'agit de la plus importante collection du genre hors de la France. Vous pourrez entre autres admirer des œuvres d'Édouard Manet, Claude Monet, Gustave Caillebotte (le monumental ***Rues de Paris un jour de pluie***), Pierre Auguste Renoir, Paul Cézanne, Paul Gauguin, Georges Seurat (le chef-d'œuvre pointilliste ***Un dimanche après-midi à l'île***

de la Grande-Jatte), Vincent van Gogh et Henri de Toulouse-Lautrec.

Et pourtant, ce n'est là qu'une partie des trésors conservés à cet étage, qui offre en fait une vaste **rétrospective de l'histoire de la peinture européenne ★★★** depuis le XVe siècle jusqu'à nos jours.

Inaugurée en 2009, la **Modern Wing ★★★**, consacrée à l'art de 1900 à nos jours, est immédiatement devenue l'autre élément phare du musée. L'architecte d'origine italienne Renzo Piano a conçu les plans de cet agrandissement qui a permis à l'Art Institute d'augmenter du tiers la superficie totale de ses espaces d'exposition. Piano a livré un bâtiment à la fois sobre et splendide de trois étages dont les salles, bien souvent baignées de lumière naturelle, mettent magnifiquement en valeur les œuvres exposées. Le musée est d'autre part relié au **Millennium Park** (voir p. 54) par une passerelle également dessinée par Piano, le **Nichols Bridgeway** (voir p. 56), qui permet d'en apprécier l'architecture en plus d'offrir de splendides vues sur les autres édifices des environs.

À l'étage (*Second Level*) de la Modern Wing, on s'attarde à l'**art contemporain de 1945 à aujourd'hui**. De nombreux artistes américains (Andy Warhol, Roy Lichtenstein, Alexander Calder, Jackson Pollock) sont ici représentés. Mais c'est l'étage supérieur (*Third Level*) qui s'avère le plus spectaculaire grâce à sa remarquable **rétrospective de l'art moderne européen ★★★**. Les visiteurs peuvent y admirer des œuvres souvent célèbres de tous les grands maîtres

Le Grant Park

Grant Park.

européens de la première moitié du XXᵉ siècle : Pablo Picasso, Salvador Dalí, René Magritte, Fernand Léger, Henri Matisse, Joan Miró, Henry Moore, Alberto Giacometti, Georges Braque, Marc Chagall et même deux toiles de Le Corbusier.

Parmi les autres trésors de l'Art Institute, mentionnons sa **collection de pièces chinoises, japonaises et coréennes** ★★★ couvrant près de 5 000 ans d'histoire, ses salles consacrées aux arts anciens de l'Asie du Sud-Est et de l'Inde, et la **Chicago Stock Exchange Trading Room** ★★★, soit le parquet de l'ancien Stock Exchange Building (démoli en 1972) que l'on a reconstruit ici en 1977 tel que conçu à l'origine par Dankmar Adler et Louis H. Sullivan. Il y a aussi une salle entière qui est consacrée au magnifique vitrail *American Windows* signé Marc Chagall, une œuvre monumentale en trois tableaux restaurée entre 2005 et 2010.

———

Dirigez-vous vers le sud jusqu'à Congress Parkway.

Grand Entrance ★ [2]
à l'intersection de Michigan Ave. et de Congress Pkwy.

Pour bien saisir l'ampleur de l'aménagement du Grant Park, il convient d'y pénétrer par sa Grand Entrance. Jadis, un large escalier s'y trouvait, qui menait à une vaste place conduisant elle-même jusqu'à la Buckingham Fountain. La Grand Entrance fut réaménagée en 1956, lorsque l'on décida de prolonger vers l'est Congress Parkway. Aujourd'hui, à la suite d'une rénovation effectuée au cours de l'été 1995, l'« entrée principale » du parc a quelque peu retrouvé son élégance d'antan. De chaque côté de l'entrée, vous remarquerez

Le Grant Park

À voir, à faire ★

1. AY Art Institute of Chicago/*Lions*
2. AZ Grand Entrance/*The Bowman*/
   The Spearman
3. AY *The Seated Lincoln*
4. AZ Buckingham Fountain
5. AY Petrillo Music Shell
6. AY Chicago Stock Exchange Arch

Cafés et restos ●

7. AY Terzo Piano

Lèche-vitrine ■

8. AY The Museum Shop of the Art Institute of Chicago

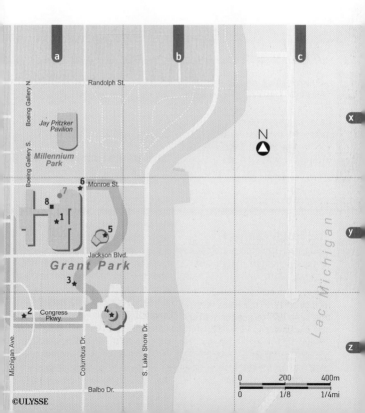

©ULYSSE

Le Grant Park

Buckingham Fountain.

deux sculptures de guerriers amérindiens à cheval. L'un est «armé» d'un arc imaginaire, et l'autre, d'une lance également absente mais suggérée par son mouvement. Il s'agit de **The Bowman** et **The Spearman**, réalisés en 1928 par le sculpteur d'origine yougoslave Ivan Mestrovic.

Empruntez la Grand Entrance pour vous diriger vers l'intérieur du parc.

The Seated Lincoln ★ [3]

Cette représentation du président Abraham Lincoln signée par le sculpteur Augustus Saint-Gaudens le montre siégeant sur ce qui devait devenir *The Court of the Presidents*. Malheureusement, les statues des autres présidents ne furent jamais réalisées. Celle de Lincoln, qui présente une certaine ressemblance avec celle occupant le Lincoln Memorial de Washington, D.C., fut installée en 1926, soit près de 20 ans après la mort de l'artiste.

Continuez ensuite vers l'est, jusqu'au-delà de Columbus Drive.

Buckingham Fountain ★★ [4]

Cette fontaine monumentale, point central d'une très belle place, fut inaugurée en 1927. Ses concepteurs, Edward Bennett, Marcel François Loyau et Jacques Lambert, s'inspirèrent du Bassin de Latone à Versailles. Ils réalisèrent une œuvre de bronze et de marbre rose de Géorgie deux fois plus grande que son modèle. Kate Buckingham avait, quelques années auparavant, fait don de l'argent nécessaire pour construire cette fontaine en l'honneur de son frère Clarence, l'un des mécènes de l'Art Institute. Le bassin symbolise le lac Michigan, et les paires de chevaux marins qui s'y ébattent représentent

Chicago Stock Exchange Arch [6]
à l'angle sud-ouest de Columbus Dr. et de Monroe St.

Derrière les bâtiments de l'Art Institute s'élève la Chicago Stock Exchange Arch, vestige de l'édifice construit en 1893 par Adler & Sullivan et démoli en 1972.

Cafés et restos
(voir carte p. 51)

Terzo Piano $$$ [7]
lun-mer et ven-dim 11h à 15h, jeu 11h à 20h;
Modern Wing de l'Art Institute, 159 E. Monroe St., 312-443-8650

C'est au réputé chef du **Spiaggia** (voir p. 79), Tony Mantuano, qu'on a confié la cuisine du restaurant de la Modern Wing de l'Art Institute. Spécialités italiennes concoctées à partir de produits frais et bios. Spectaculaire terrasse sur le toit de la Modern Wing. Accessible sans nécessité d'acheter un billet d'entrée au musée.

Lèche-vitrine
(voir carte p. 51)

Cadeaux et souvenirs

The Museum Shop of the Art Institute of Chicago [8]
Art Institute of Chicago, 111 S. Michigan Ave., 800-518-4214, www.artinstituteshop.org

Impressionnante sélection de livres d'art, reproductions de tableaux et de sculptures de qualité et toutes sortes d'autres objets décoratifs.

les quatre États qui bordent le lac. Au centre, un puissant jet d'eau est propulsé jusqu'à 40 m dans les airs. En 1995, la Buckingham Fountain fit littéralement peau neuve à la suite d'une importante restauration. On perfectionna alors sensiblement son système d'éclairage de manière à permettre de spectaculaires jeux de lumière.

Dirigez-vous vers le nord afin de retourner vers l'Art Institute.

Petrillo Music Shell [5]
De l'autre côté de Jackson Street, le Petrillo Music Shell est une scène extérieure sur laquelle sont présentés, au cours de l'été, divers spectacles dans le cadre des festivals de musique latino-américaine (septembre), de blues (juin), de jazz (septembre), de gospel (juin) et de country (septembre).

3 ↘

Le Millennium Park

À voir, à faire

(voir carte p. 57)

À l'intérieur du quadrilatère formé par les rues Monroe au sud et Randolph au nord, et par Michigan Avenue à l'ouest et Columbus Drive à l'est, le **Millennium Park ★★★** vient maintenant prolonger le Grant Park au nord. C'est la firme Skidmore, Owings & Merrill qui s'est vue confier le défi de soustraire à la vue des passants les peu esthétiques voies de chemin de fer, auparavant à ciel ouvert, en leur superposant un garage souterrain de 2 500 emplacements et, au niveau de la rue, un spectaculaire parc urbain.

Le circuit débute à la McCormick Tribune Plaza and Ice Rink, à laquelle on accède par Michigan Avenue, entre les rues Washington et Madison.

McCormick Tribune Plaza and Ice Rink [1]

Dans la moitié ouest du Millennium Park a été aménagée la **McCormick Tribune Plaza and Ice Rink**, une agréable patinoire extérieure qui accueille en musique les amateurs de patin à glace durant l'hiver. Au cours de l'été, la patinoire devient la terrasse du restaurant **Park Grill** (voir p. 58).

Cloud Gate ★★ [2]

Tout juste à l'est, des escaliers conduisent à un palier supérieur où s'étend l'**AT&T Plaza**. C'est là qu'a été installée l'irrésistible sculpture intitulée *Cloud Gate*. Signé par l'artiste britannique d'origine indienne Anish Kapoor, cet imposant monument dont la forme évoque une immense *jelly bean* pèse plus de 110 tonnes. La sculpture figure une arche en acier inoxydable sur laquelle se reflètent les gratte-ciel de la ville.

Crown Fountain.

Wrigley Square and Millennium Park Monument ★ [3]

Toujours dans la partie ouest du Millennium Park, vous repérerez sans mal cette place qui met en scène une reproduction presque à grandeur réelle d'un péristyle qui se trouvait dans les environs entre 1917 et 1953. Les noms des principaux donateurs ayant contribué financièrement à la réalisation du Millennium Park apparaissent à la base de ce monument composé de 24 colonnes doriques qui entourent partiellement un bassin circulaire.

Crown Fountain ★★ [4]

L'autre élément important de la section ouest du parc est la *Crown Fountain*, dessinée par l'artiste espagnol Jaume Plensa. À chacune des extrémités du bassin de cette fontaine s'élèvent des tours de verre hautes d'environ 15 m, sur lesquelles sont projetées des vidéos reproduisant la figure d'un citoyen de la ville (il y en aurait 1 000 différentes) de telle manière qu'on ait l'impression qu'un jet d'eau provient de sa bouche, un amusant clin d'œil aux fontaines classiques où l'eau jaillissait de la bouche de personnages sculptés. De façon plutôt inattendue, la *Crown Fountain* s'est rapidement imposée comme un exemple remarquable d'œuvre d'art en interaction constante avec le public. Ainsi, par les chaudes journées d'été, le site se voit littéralement transformer en parc aquatique par les familles qui viennent s'y rafraîchir.

Dirigez-vous maintenant vers la partie est du parc.

Le Millennium Park

Jay Pritzker Pavilion.

Jay Pritzker Pavilion ★★★ [5]
La partie est du Millennium Park est quant à elle dominée par le spectaculaire Jay Pritzker Pavilion, un amphithéâtre à ciel ouvert, œuvre du célèbre architecte américain d'origine canadienne Frank Gehry, à qui l'on doit notamment le musée Guggenheim de Bilbao (Espagne). Les rubans d'acier géants qui coiffent le dessus de la scène extérieure rappellent d'ailleurs les lignes particulières de cette précédente réalisation et constituent en quelque sorte la signature du maître. C'est ici que sont présentés les concerts estivaux du Grant Park Orchestra and Chorus. On y trouve 4 000 sièges et une grande pelouse où peuvent prendre place quelque 7 000 autres personnes. Une sorte d'immense treillis auquel sont suspendues les enceintes acoustiques surplombe élégamment tout cet espace. Pour compléter le tout, Gehry a également dessiné le sinueux **BP Bridge** ★★ [6], un pont piétonnier qui enjambe Columbus Drive afin de relier le Millennium Park au **Maggie Daley Park** [7], dont l'aménagement sera complété à l'automne 2014.

Nichols Bridgeway ★★ [8]
Cette autre passerelle enjambe Monroe Street pour ainsi relier le Millennium Park à la **Modern Wing de l'Art Institute** (voir p. 49). Dessiné par Renzo Piano, à qui l'on doit aussi la nouvelle aile du musée inaugurée en 2009, ce pont permet à ceux qui l'empruntent de jouir de vues exceptionnelles sur le Jay Pritzker Pavilion et les gratte-ciel des environs. Il conduit vers une entrée située à l'étage supérieur (*Third Level*) de la Modern Wing, là où se trouve un jardin de sculptures.

Le Millennium Park

À voir, à faire ★

1. AX McCormick Tribune Plaza and Ice Rink
2. AX *Cloud Gate*/AT&T Plaza
3. AX Wrigley Square and Millennium Park Monument
4. AY *Crown Fountain*
5. AX Jay Pritzker Pavilion
6. BX BP Bridge
7. BX Maggie Daley Park
8. AY Nichols Bridgeway
9. AY Lurie Garden
10. AX Millennium Park Welcome Center
11. BX McDonald's Cycle Center

Cafés et restos ●

12. AX Park Grill

Salles de spectacle ◆

13. AX Harris Theater for Music and Dance

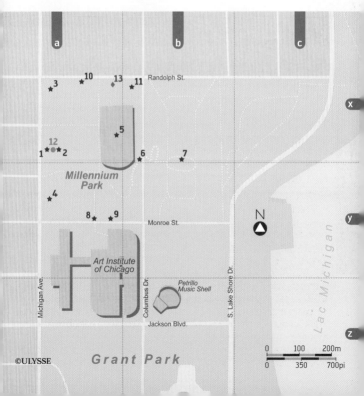

Lurie Garden [9]

La portion sud-est du Millennium Park est couverte par le Lurie Garden, un agréable aménagement horticole à travers lequel serpente une promenade en planches.

Millennium Park Welcome Center [10]

tlj 9h à 19h en été, 10h à 16h en basse saison; 201 E. Randolph St., 312-742-1168, www.millenniumpark.org

Le centre d'accueil des visiteurs est aussi le point de départ de visites guidées gratuites du parc en été.

McDonald's Cycle Center [11]

printemps et automne lun-ven 6h30 à 19h, sam-dim 10h à 18h; été lun-ven 6h30 à 20h, sam-dim 8h à 20h; hiver lun-ven 6h30 à 18h30, sam-dim fermé; 239 E. Randolph St., 312-729-1000, www.chicagobikestation.com

À deux pas de là, le McDonald's Cycle Center abrite un stationnement intérieur gratuit pour vélos (330 places) et propose divers services comme la réparation et la location de bicyclettes. On y trouve même des douches pour les travailleurs des tours du Loop qui veulent arriver au bureau frais et dispos après avoir pédalé pendant quelques kilomètres.

Cafés et restos

(voir carte p. 57)

Park Grill $$$ [12]

dim-jeu 11h à 21h30, ven-sam 11h à 22h30; 11 N. Michigan Ave., 312-521-7275

Situé au cœur du Millennium Park, ce restaurant comporte de larges

Harris Theater for Music and Dance.

baies vitrées qui donnent sur une agréable terrasse en été, ou sur la populaire patinoire du parc en hiver. Cuisine américaine typique : steaks, fruits de mer, sandwichs et hamburgers.

Salles de spectacle

(voir carte p. 57)

Harris Theater for Music and Dance [13]

205 E. Randolph St., 312-334-7777, www.harristheaterchicago.org

Salle de 1 500 places sur la scène de laquelle se produisent divers orchestres et troupes de danse de Chicago et d'ailleurs.

4

Le Museum Campus

À voir, à faire

(voir carte p. 61)

Ce qui caractérise la portion sud du Grant Park est l'extraordinaire concentration d'institutions culturelles qu'on y trouve, regroupées au sein de ce que l'on a baptisé le **Museum Campus** ★★★. Jadis coupé en deux par Lake Shore Drive, ce secteur a été complètement réaménagé au cours des années 1990, alors que les voies de circulation automobile ont été déplacées à l'ouest du stade de football Soldier Field. On a ainsi créé une nouvelle zone où les passants peuvent déambuler tranquillement.

Le circuit débute au Field Museum, à l'intersection de Lake Shore Drive et de Roosevelt Road.

Field Museum ★★★[1]
plusieurs options entre 15$ et 51$; tlj 9h à 17h; 1400 S. Lake Shore Dr., 312-922-9410, www.fieldmuseum.org

Le Field Museum est un fabuleux musée d'histoire naturelle auquel on peut facilement consacrer une journée entière.

Vous serez d'abord émerveillé par son impressionnant hall central entouré d'arches supportées par de splendides colonnes ioniques. Deux paires de colonnes, situées aux extrémités de la salle, servent de piédestaux à quatre statues de femmes représentant les quatre missions de l'institution : la science, la recherche, l'acquisition et la diffusion de connaissances. Le **Stanley Field Hall** ★★★ renferme un globe terrestre, une reproduction grandeur nature de mammouths, le squelette d'une immense bête préhistorique (un tyrannosaure baptisé

Le Museum Campus

Squelette du tyrannosaure *Sue*.

Sue) et de beaux mâts totémiques. Les salles d'exposition sont disposées sur trois étages autour du hall.

Au rez-de-chaussée (*Ground Level*), les expositions intitulées **Inside Ancient Egypt**, consacrée à l'Égypte ancienne et comportant entre autres une vingtaine de momies, et **Underground Adventure**, dans laquelle les visiteurs sont «réduits» aux dimensions du monde des insectes, comptent parmi les plus appréciées du musée.

La moitié du premier étage (*Main Level*) renferme diverses expositions sur les animaux: les mammifères d'Asie et d'Afrique, les oiseaux d'Amérique du Nord, etc. L'autre moitié de l'étage rend hommage aux peuples autochtones des Amériques, notamment au moyen de l'exposition **Ancient Americas**, qui survole plus de 13 000 ans d'histoire du continent.

Finalement, le second étage (*Upper Level*) propose des expositions qui explorent le Pacifique, et qui initient le visiteur à la géologie et à la botanique. Mais on y trouve surtout une extraordinaire collection de dinosaures reconstitués, à l'intérieur de l'**Elizabeth Morse Genius Dinosaur Hall**.

New Soldier Field [2]
1410 S. Museum Campus Dr., 312-235-7000, www.soldierfield.net

Derrière le Field Museum, le New Soldier Field constitue la demeure des Bears de Chicago, l'équipe professionnelle de football américain de la ville. Le stade original fut construit entre 1922 et 1926 par Holabird & Roche, et baptisé «Soldier Field» à la mémoire des soldats

Le Museum Campus

À voir, à faire ★

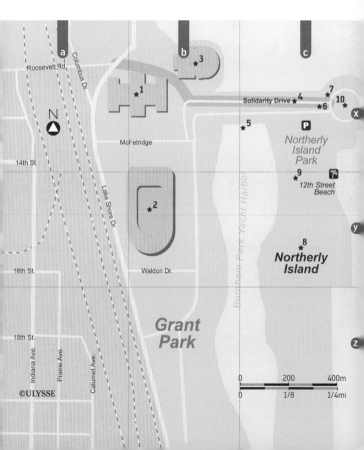

©ULYSSE

1. New Soldier Field.

2. John G. Shedd Aquarium.

ayant participé à la Première Guerre mondiale. Il présente une structure en *U* agrémentée de colonnes doriques. Sa rénovation complète fut achevée en 2003. Comme les façades classiques ont été conservées, cette nouvelle incarnation donne l'impression étrange qu'un stade moderne a été déposé au beau milieu de l'ancien... et que les estrades dépassent de chaque côté. Étonnant! Les parties des Bears de Chicago sont présentées au Soldier Field du mois d'août au mois de janvier.

John G. Shedd Aquarium ★★★ [3]

35$ incluant aquarium et océanarium; tlj 9h à 17h; 1200 S. Lake Shore Dr., 312-939-2438, www.sheddaquarium.org

Le John G. Shedd Aquarium est quant à lui superbement installé aux abords du lac Michigan. Vous remarquerez d'abord le grandiose édifice Beaux-Arts de forme octogonale, conçu en 1929 de façon à bien s'harmoniser avec le Field Museum. En 1991, un océanarium s'avançant dans le lac Michigan fut construit à l'arrière du bâtiment. Grâce à une faible élévation, cet ajout s'insère adroitement dans l'ensemble sans le déparer.

Le Shedd Aquarium, le plus grand du monde dit-on, est une des attractions les plus populaires de la ville. Aussi est-il conseillé de s'y rendre tôt dans la journée afin d'éviter les files d'attente. Plus de 8 000 animaux marins représentent 650 espèces différentes résident ici. En entrant, vous apercevrez, droit devant vous, un grand bassin: le **Caribbean Reef Exhibit ★★**. D'innombrables poissons tropicaux

et même des requins nagent dans cet immense bassin contenant 340 000 litres d'eau salée. À intervalles réguliers *(10h30, 12h, 14h et 15h)*, un plongeur vient nourrir les poissons et répond sous l'eau, grâce à un système de microphones, aux questions de l'assistance. Autour du Caribbean Reef Exhibit, plusieurs salles présentent des espèces du monde entier.

Il ne faut pas manquer de visiter l'**Oceanarium ★★★**, ce brillant ajout datant de 1991. Réaménagé en 2008-2009, l'Oceanarium présente maintenant un visage moderne et dynamique. Des spectacles mettant en vedette diverses espèces marines (dauphins, bélugas, otaries et autres) y sont présentés au grand plaisir des enfants *(entre trois et six représentations par jour; horaire variable)*. Les animaux évoluent devant les spectateurs à l'intérieur ou aux abords d'un immense bassin. Le grand mur de verre situé en arrière-plan donne sur le lac Michigan et crée l'illusion que cet habitat marin se prolonge à perte de vue. L'effet obtenu est saisissant. L'étage inférieur de l'Oceanarium permet, grâce à de grandes baies vitrées, d'observer les dauphins et les bélugas s'ébattre jusque dans les profondeurs de leurs bassins. On trouve aussi à ce niveau des éléments interactifs qui s'adressent aux jeunes enfants, notamment dans la **Polar Play Zone**.

Un autre agrandissement a été complété au printemps 2003, mais, comme il devenait impossible d'ajouter de nouvelles ailes

Le Museum Campus

Le centre-ville depuis le Burnham Park Yacht Club.

au bâtiment historique d'origine, c'est en profondeur qu'il fallut aller. Ainsi, c'est 7,5 m au-dessous du niveau de la rue que l'on a aménagé la nouvelle section baptisée **Wild Reef** ★★★, à voir absolument. Cette exposition recrée un village des Philippines et présente la barrière de corail méconnue de ce pays, bien qu'elle soit pourtant l'une des plus grandes du monde et la plus riche en termes d'animaux marins qui y résident. D'ailleurs, elle met aussi en valeur la faune marine de cette région du globe, au moyen de 26 habitats reconstitués dans lesquels évoluent pas moins de 540 espèces différentes d'animaux et de coraux. Le temps fort de la visite est toutefois assuré par la présence d'une trentaine de requins d'espèces diverses qui nagent dans un immense bassin (1,5 million de litres) dont la paroi en pente permet aux visiteurs de s'avancer au point de voir les requins se promener au-dessus de leurs têtes.

Afin de vous diriger vers l'Adler Planetarium, empruntez Solidarity Drive vers l'est.

Solidarity Drive ★ [4]
Cette superbe promenade, ainsi nommée en 1980 en hommage au mouvement lancé en Pologne par Lech Walesa, rend possibles des vues imprenables sur les gratte-ciel du centre-ville ainsi que sur les bateaux de plaisance amarrés au **Burnham Park Yacht Club** [5]. Quelques monuments parsèment cette voie comportant une jolie pelouse en son centre, dont un élevé en l'honneur de **Nicolas Copernic** [6], le célèbre astro-

nome polonais (1473-1543) qui fut à l'origine de la révolution scientifique du XVIIe siècle, ce qui lui valut le titre de fondateur de l'astronomie moderne. Cette sculpture est une réplique de l'œuvre de Bertel Thorvaldsen (1770-1844) qui s'élevait devant l'Académie des Sciences de Pologne, à Varsovie, entre 1823 et 1944, année où elle fut détruite pendant la Seconde Guerre mondiale. Tout juste devant le planétarium, il convient aussi de souligner la présence d'un bronze du sculpteur Henry Moore faisant 4 m de haut : **Sundial** [7].

Northerly Island [8]

Solidarity drive, une promenade qui fut aménagée lors de la *Century of Progress Exposition* en 1933-1934, relie la Northerly Island à la terre ferme, en remplacement du pont

L'exposition universelle Century of Progress

En 1933-1934, Chicago accueillit la deuxième exposition universelle de son histoire. Baptisée *Century of Progress*, cette exposition attira 39 millions de visiteurs. Les pavillons construits pour l'événement se trouvaient dans la portion sud du Grant Park et, surtout, dans la Northerly Island.

qui existait auparavant. Cette île tout en longueur fut entièrement créée par l'homme en 1930. Elle devait en fait, selon le plan de Daniel Burnham, ne constituer que le premier maillon d'un archipel s'étirant le long de la rive du lac Michigan. Elle demeure toutefois à ce jour la seule île jamais construite.

Après l'exposition universelle de 1933-1934, on envisagea immédiatement de convertir la Northerly Island en un aéroport privé. Ce n'est toutefois pas avant 1948 que se réalisa ce projet. L'aéroport en question prit en 1950 le nom de Merrill C. Meigs Field en l'honneur

La reconversion controversée d'un aéroport en parc

Le maire de Chicago Richard M. Daley, se réclamant du plan Burnham, entreprit dès 1995 sa campagne en faveur de la reconversion de l'aéroport privé Merrill C. Meigs Field de la Northerly Island en un vaste parc public. Il se heurta alors à l'opposition de plusieurs groupes qui jugeaient cet équipement indispensable. Le projet du puissant maire fut alors mis de côté pour un temps, jusqu'à ce que les événements du 11 septembre 2001 viennent lui permettre de réclamer pour des raisons de sécurité nationale la fermeture de cet aéroport situé tout près du centre-ville.

Le 30 mars 2003, le maire Daley ordonna que la piste d'atterrissage soit détruite par des bulldozers, et ce, en pleine nuit! Le coup de force fut d'autant plus dramatique qu'aucune annonce n'en avait été faite auparavant, au point où 16 avions étaient encore sur place au moment de la fermeture forcée de l'aéroport. Malgré toutes les contestations qui suivirent, les actions peu orthodoxes du maire Daley dans ce dossier furent appuyées par les tribunaux, la Ville de Chicago étant dûment propriétaire de la Northerly Island.

1. Northerly Island.

2. Adler Planetarium & Astronomical Museum.

d'un pionnier chicagoen de l'aviation. Mais en 2003, la Ville ferma l'aéroport dans la controverse, afin de reconvertir l'île en un parc public (voir l'encadré p. 66). En 2005, on y construisit le **Charter One Pavilion** [9], un amphithéâtre extérieur comptant 7 500 places où sont présentés des spectacles de musique populaire durant la belle saison.

Adler Planetarium & Astronomical Museum ★★
[10]

12$ prix d'entrée général, 28$ incluant les spectacles; lun-ven 9h30 à 16h, sam-dim 9h30 à 16h30; 1300 S. Lake Shore Dr., 312-922-7827, www.adlerplanetarium.org

C'est à l'extrême nord de la Northerly Island que fut érigé l'Adler Planetarium en 1930. Il s'agissait alors du premier planétarium public à ouvrir ses portes aux États-Unis. Un dôme, à l'intérieur duquel sont projetées les images du firmament, domine ce bâtiment Art déco. Il repose sur une base comptant 12 faces, qui représente les 12 signes du zodiaque.

Aujourd'hui, ce bâtiment originel est partiellement encerclé par une construction récente, le **Sky Pavilion**, où se trouvent les salles d'exposition. Ainsi, dans cette nouvelle aile, est racontée sur trois étages l'histoire de l'astronomie et de l'exploration de l'espace au moyen d'instruments anciens, de reconstitutions du système solaire, de diaporamas et de bornes interactives. L'attraction la plus impressionnante est cependant le **Grainger Sky Theater ★★**, qui présente une projection sur écran géant donnant l'impression aux spectateurs de participer à un voyage dans l'immensité de l'espace.

Le Magnificent Mile

5 ↘

Le Magnificent Mile

À voir, à faire
(voir carte p. 71)

La partie nord de Michigan Avenue, comprise entre la Chicago River et Oak Street, est devenue la Mecque du magasinage à Chicago. Boutiques chics, centres commerciaux et grands magasins s'alignent de chaque côté de l'avenue que l'on a tôt fait de surnommer *The Magnificent Mile*.

Cette artère n'a toutefois pas toujours eu cette vocation. Avant la Première Guerre mondiale, il s'agissait plutôt d'une rue bordée de belles maisons familiales, alors connue sous le nom de Pine Street. Avec la construction du Michigan Avenue Bridge, suivant les recommandations du plan d'aménagement de Daniel Burnham, les choses se transformèrent rapidement. Le Wrigley Building, au sud, et le Drake Hotel, au nord, furent édifiés presque simultanément au début des années 1920 et vinrent délimiter ce qui devait devenir les «Champs-Élysées de Chicago». D'autres édifices importants furent érigés par la suite, mais ce n'est que dans les années 1970 qu'est vraiment né le **Magnificent Mile ★★★**, avec la construction de mégacentres commerciaux comme la Water Tower Place.

Le circuit débute au Michigan Avenue Bridge, à l'extrémité sud du Magnificent Mile.

Michigan Avenue Bridge ★ [1]
Le Michigan Avenue Bridge est l'un des 50 ponts mobiles permettant aux Chicagoens de circuler facilement d'un côté à l'autre de la Chicago River. Il fut érigé entre 1918 et 1920 par Edward H. Bennett et Hugh Young, qui s'inspirèrent alors

Michigan Avenue Bridge.

Le Magnificent Mile

du pont Alexandre III de Paris. Le résultat est un véritable monument dont la construction a encouragé l'émergence d'édifices tout aussi monumentaux dans ses environs immédiats.

Les quatre pylônes de 12 m qui supportent la structure à deux niveaux sont ornés de bas-reliefs permettant de remonter dans le temps et de revivre des épisodes de l'histoire de Chicago.

McCormick Tribune Bridgehouse & Chicago River Museum [2]

4$; jeu-lun 10h à 17h, en été seulement; 376 N. Michigan Ave., 312-977-0227, www.bridgehousemuseum.org

L'intérieur du pylône sud-ouest du Michigan Avenue Bridge abrite un musée qui raconte l'histoire de la Chicago River et témoigne de son importance dans le développement de la ville.

Dirigez-vous vers le nord pour découvrir les attraits du Magnificent Mile.

Wrigley Building ★★★ [3]
400-410 N. Michigan Ave.

Au nord-ouest du pont se dresse avec une rare élégance le Wrigley Building, que d'aucuns considèrent comme le plus beau bâtiment de la ville. Cette tour de terre cuite blanche, élevée entre 1919 et 1924, emprunte quelques formes à la cathédrale de Séville. Il ne faut pas manquer le spectacle féerique de cet édifice monumental lorsqu'il est éclairé en soirée. Simplement fabuleux!

Le Magnificent Mile

À voir, à faire ★

1. BZ Michigan Avenue Bridge
2. BZ McCormick Tribune Bridgehouse & Chicago River Museum
3. BZ Wrigley Building
4. CZ Tribune Tower
5. CY InterContinental Hotel
6. BW Chicago Water Tower/City Gallery
7. BW Park Tower
8. BW Loyola University Museum of Art
9. CW Chicago Water Works /Pumping Station
10. CW Museum of Contemporary Art
11. CW Water Tower Place
12. CW John Hancock Center/Garden Plaza/SkyWalk
13. BW Fourth Presbyterian Church
14. CV Drake Hotel

Cafés et restos ●

15. CW American Girl Café
16. BW Bar Toma
17. BW Ghirardelli Chocolate Shop & Soda Fountain
18. CX Gino's East
19. BY Grand Luxe Cafe
20. CY Michael Jordan's Steak House
21. BW NoMI Kitchen
22. BX Pierrot Gourmet
23. CW Puck's at the MCA
24. BV Spiaggia/Café Spiaggia
25. BZ The Billy Goat Tavern
26. CV The Cape Cod
27. BY The Purple Pig
28. CX Tru

Bars et boîtes de nuit ☾

29. CV Coq d'Or
30. CX C-View
31. CY Eno
32. CW Signature Lounge

Salles de spectacle ◆

33. CW Lookingglass Theatre

Lèche-vitrine ■

34. CW American Girl Place
35. CX Apple Store
36. BV, CY Atlas Galleries
37. BY Bijouterie Cartier
38. CX Burberry
39. CV Chanel Boutique
40. CW Cubs Clubhouse Shop
41. CX Disney Store
42. CX Garmin
43. CY Garrett Popcorn Shops
44. CY Georg Jensen
45. BW Hershey's Chicago
46. BZ Joel Oppenheimer
47. BV Kaehler Travel Works
48. BV Lotton Gallery
49. CX Nike Chicago
50. BV The 900 Shops/Bloomingdale's
51. BY The LEGO Store
52. BY The Shops at North Bridge/ Nordstrom/Swatch
53. BX Tiffany & Company
54. BY Vosges Haut-Chocolat
55. CW Water Tower Place/Macy's

Hébergement ▲

56. BY Conrad Chicago
57. BV Four Seasons Hotel Chicago
58. CX Hilton Chicago/Magnificent Mile Suites
59. CY Hyatt Chicago Magnificent Mile
60. CY InterContinental Hotel
61. CX MileNorth Chicago
62. BW Park Hyatt Chicago
63. CY Red Roof Inn
64. CW Ritz-Carlton Chicago
65. CV The Drake Hotel
66. BX The Peninsula Chicago
67. BW The Tremont Hotel
68. BW The Whitehall Hotel

Le Wrigley Building et le Tribune Tower.

Tribune Tower ★★ [4]
435 N. Michigan Ave.

Un peu plus au nord, de l'autre côté de la rue, on ne peut manquer le remarquable bâtiment néogothique de la Tribune Tower, qui fut élevée entre 1923 et 1925 à la suite d'un concours international remporté par les architectes newyorkais John Mead Howells et Raymond Hood. Si les concepteurs du Wrigley Building se sont inspirés de la cathédrale de Séville, ceux de la Tribune Tower en ont fait autant avec celle de Rouen. Au niveau de la rue, des pierres de grands monuments du monde rapportées par des correspondants du *Chicago Tribune* ont été intégrées aux murs. Il est amusant de chercher à les repérer; il y en a plus de 200, provenant des pyramides d'Égypte, du Parthénon, de la Grande Muraille de Chine, du mur de Berlin, du fort Alamo, au Texas, de Notre-Dame de Paris, etc.

InterContinental Hotel ★ [5]
505 N. Michigan Ave.

Du même côté de Michigan Avenue, au nord d'Illinois Street, vous remarquerez le bâtiment où a emménagé en 1990 l'InterContinental Hotel, dessiné en 1929 par Walter W. Ahlschlager et dont il ne faut pas manquer de voir le hall. L'entrée principale de l'hôtel se trouve toutefois aujourd'hui juste un peu plus au nord, au pied d'un second bâtiment plus récent. Il est possible de visiter l'hôtel gratuitement à l'aide d'un audioguide disponible au comptoir du concierge.

Chicago Water Tower ★★ [6]
806 N. Michigan Ave.

Plus loin, après avoir jeté un œil à d'innombrables vitrines de boutiques en tous genres, vous rejoindrez la légendaire Chicago Water Tower, entourée d'un joli jardin où il fait bon s'arrêter quelques instants. Ce bâtiment est un des rares à avoir survécu au Grand Incendie de 1871 et symbolise aux yeux des Chicagoens la force qui a permis à leur ville de renaître de ses cendres. Cette belle tour de 46 m fut élevée en 1869. Il s'agissait en fait d'une annexe de la Pumping Station, située de l'autre côté de la rue et pour sa part construite trois ans auparavant. Les deux constructions aux murs de pierres calcaires jaunes constituent bel ensemble dont le style néogothique empreint de naïveté rappelle presque les châteaux de contes de fées. Depuis 1999, la Water Tower abrite la **City Gallery** *(entrée libre; tlj 10h à 18h30; 312-742-0808)*, qui présente des expositions de photographies sur divers aspects de la vie à Chicago.

Chicago Water Tower.

Le Magnificent Mile

Park Tower [7]

À l'ouest de la Water Tower, on ne peut manquer la Park Tower de 67 étages, œuvre de Lucien Lagrange complétée en 2000. Elle abrite le chic hôtel **Park Hyatt Chicago** (voir p. 174) ainsi que de nombreux appartements de luxe. La présence de la place entourant la Water Tower permet de prendre le recul nécessaire pour apprécier la silhouette filiforme de cette tour dont les lignes rappellent le style Art déco tel qu'appliqué à l'intérieur des grands paquebots d'antan.

Loyola University Museum of Art [8]

8$, mar entrée libre; mar 11h à 20h, mer-dim 11h à 18h, lun fermé; 820 N. Michigan Ave., 312-915-7600, www.luc.edu/luma

Tout juste à côté s'élève l'édifice qui abrite le Loyola University Museum of Art, surnommé LUMA. Ce musée universitaire dédié à la spiritualité dans les arts met en valeur une collection d'œuvres médiévales, Renaissance et baroques (1150 à 1750), composée de quelque 500 peintures, sculptures, bijoux, pièces de mobilier et objets liturgiques.

Chicago Water Works ★ [9]

lun-jeu 9h à 19h, ven-sam 9h à 18h, dim 10h à 18h; 163 E. Pearson St.

La **Pumping Station** ou, comme on l'appelle maintenant, le Chicago Water Works abrite le centre d'information touristique principal de Chicago. Vous trouverez aussi à

Le Magnificent Mile

1. Museum of Contemporary Art.
2. Water Tower Place.

l'intérieur un comptoir Hot Tix pour la réservation de spectacles, ainsi que le **Lookingglass Theatre** (voir p. 80).

Tournez à droite dans Chicago Avenue, afin de vous diriger vers le Museum of Contemporary Art.

Museum of Contemporary Art ★ ★ [10]

12$, mar entrée libre; mar 10h à 20h, mer-dim 10h à 17h, lun fermé; 220 E. Chicago Ave., 312-280-2660, www.mcachicago.org

Installé ici depuis l'été 1996, le Museum of Contemporary Art s'intéresse à l'art de 1945 à nos jours. Cet édifice d'aluminium aux lignes quelque peu austères a été conçu par l'architecte berlinois Josef Paul Kleihues. Il renferme le plus grand espace consacré à l'art contemporain aux États-Unis (22 000 m²).

Des salles d'exposition, un amphithéâtre de 300 places, des salles de classe, une boutique-librairie et un restaurant sont répartis sur les quatre étages que compte le musée. À l'étage supérieur (*Level 4*) sont exposées des œuvres faisant partie de la collection du musée (Alexander Calder, Andy Warhol, Cindy Sherman, René Magritte, Bruce Nauman, Max Ernst, etc.). Prenez note cependant que des pièces de cette collection sont souvent prêtées à d'autres musées des États-Unis et d'ailleurs dans le monde. Par conséquent, il convient de consulter le site Internet de l'institution pour savoir quelles seront les œuvres en montre au moment de votre visite.

À l'arrière, on a aménagé un charmant jardin de sculptures. On y accède par le restaurant situé à

Le Magnificent Mile

l'étage (*Level 2*), dont les larges baies vitrées offrent une vue intéressante sur le lac Michigan. Finalement, le musée compte plusieurs salles (*Level 2* et *Level 3*) qui sont consacrées à la tenue d'expositions temporaires.

Revenez vers Michigan Avenue en empruntant Pearson Street.

Water Tower Place [11]
835 N. Michigan Ave.

L'impressionnante Water Tower Place est le plus fréquenté des mails intérieurs du Magnificent Mile. Ce gigantesque complexe de marbre blanc inauguré en 1976 est composé d'un centre commercial de 12 étages et, en retrait vers l'est, d'une tour de 62 étages dans laquelle se trouvent des apparte-

ments mais aussi le chic hôtel **Ritz-Carlton Chicago** (voir p. 174).

Poursuivez vers le nord.

John Hancock Center ★★★
[12]
18$; tlj 9h à 23h; 875 N. Michigan Ave., 888-875-8439, www.hancock-observatory.com

Un autre géant se dresse sur le quadrilatère suivant : le John Hancock Center. Depuis sa construction, en 1969, ce fier édifice symbolise Chicago par son allure costaude, sa silhouette noire et les célébrissimes renforts croisés qu'arbore sa structure extérieure. La base de cet obélisque de 100 étages (338 m; 443 m en incluant les antennes), le quatrième gratte-ciel le plus élevé de la ville, loge quelques boutiques et restaurants qui donnent sur l'agréable **Garden Plaza**, une jolie place agrémentée d'une fontaine

John Hancock Center.

prenant la forme d'un long «mur-cascade». L'observatoire, situé au 94e étage, est accessible au moyen d'un ascenseur ultrarapide qui s'y rend en 39 secondes! De là, la vue est saisissante de tous les côtés (choisissez une journée où le temps est clair). Grâce au **SkyWalk**, il est même possible de sortir à l'extérieur, ce qui permet d'entendre les bruits de la ville et de ressentir le souffle du vent... Au cours des mois de janvier à mars, une patinoire de glace synthétique est de plus aménagée sur les lieux. Les 95e et 96e étages abritent pour leur part un restaurant et un bar (**Signature Lounge**, voir p. 80).

Fourth Presbyterian Church ★ [13]

Du côté opposé de Michigan Avenue, la Fourth Presbyterian Church présente un cadre fort différent. Ce temple néogothique (1912) est l'œuvre de Ralph Adams Cram, l'un des maîtres américains de ce style. La salle paroissiale attenante fut érigée ultérieurement (1925). Entre les deux s'étend un jardin où règne une belle sérénité et où, en été, des concerts sont occasionnellement présentés.

Drake Hotel ★ [14]
140 E. Walton St.

De l'autre côté de Walton Street, du côté est de Michigan Avenue, vous apercevrez ensuite le vénérable Drake Hotel, un monument historique élevé en 1920. Faisant face au lac Michigan, en plus d'être situé à deux pas des boutiques du Magnificent Mile et de la très chic **Oak Street** (voir p. 115), le Drake offre à sa distinguée clientèle un remarquable emplacement.

Cafés et restos

(voir carte p. 71)

The Billy Goat Tavern $ [25]
lun-ven 7h à 2h, sam 10h à 3h, dim 11h à 2h;
430 N. Michigan Ave., 312-222-1525

Situé dans un recoin sombre, sous Michigan Avenue, cet établissement qui sert des hamburgers bien graisseux est célèbre grâce à la superstition de *The Curse of the Billy Goat* (voir p. 15) et aux fameux sketchs de John Belushi et de Dan Aykroyd dans l'émission *Saturday Night Live*. Aucune carte de crédit acceptée.

Ghirardelli Chocolate Shop & Soda Fountain $ [17]
lun-jeu 10h à 22h30, ven-sam 10h à 23h30, dim 10h à 22h; 830 N. Michigan Ave., entrée située dans Pearson Street, 312-337-9330

Célèbre chocolatier de San Francisco qui se double ici d'un sympathique café où l'on peut s'offrir une glace, un chocolat chaud ou une des extraordinaires coupes glacées (*sundaes*) devenues la spécialité de la maison.

American Girl Café $$ [15]
tlj 9h30 à 19h30; Water Tower Place, 835 N. Michigan Ave., 877-247-5223

Café intégré au concept de la fameuse boutique de poupées **American Girl Place** (voir p. 82), dans le mail Water Tower Place, où peuvent tranquillement papoter entre elles maman, fillette et… sa nouvelle poupée. Idéal pour le lunch, le thé ou un anniversaire d'enfant.

Gino's East $$ [18]
dim-jeu 11h à 21h, ven-sam 11h à 24h;
162 E. Superior St., 312-266-3337

Célébrissime restaurant spécialisé dans la confection de succulentes *deep-dish pizzas*. On remet aux enfants des crayons de cire avec lesquels ils sont autorisés à écrire partout (littéralement!).

Pierrot Gourmet $$ [22]
lun-jeu 7h à 21h, ven-sam 7h à 22h, dim 7h à 17h; Peninsula Hotel, 108 E. Superior St., 312-573-6749

Café et bar à vins chaleureux grâce à l'omniprésence du bois blond dans sa salle intérieure et à sa jolie terrasse en saison. Soupes, salades, tartines, sandwichs, quiches, tartes flambées, bœuf bourguignon, poulet rôti, cassoulet. Menu varié pour le petit déjeuner.

Puck's at the MCA $$ [23]
mar 10h à 20h, mer-dim 10h à 17h, lun fermé; Museum of Contemporary Art, 220 E. Chicago Ave., 312-397-4034

Ce café propose quelques échantillons de la manière du célèbre chef Wolfgang Puck: salades et pizzas imaginatives, sandwichs et fruits de mer marinés. Terrasse arrière en saison, qui surplombe le jardin de sculptures du musée. Brunch le dimanche.

Bar Toma $$-$$$ [16]
lun-jeu 11h30 à 22h, ven-sam 11h30 à 23h, dim 11h à 21h; 110 E. Pearson St., 312-266-3110

Resto-bar de pizzas et tapas à l'italienne. Salle intime à l'avant, bar bruyant et animé sur la droite, grande salle avec un four à pizza en plein centre à l'arrière. Avis aux ama-

The Purple Pig.

Le Magnificent Mile

teurs, il y a aussi un bar à *gelati* et à espresso.

Grand Luxe Cafe $$$ [19]
lun-jeu 11h à 23h30, ven 11h à 0h30, sam 9h à 0h30, dim 9h à 23h30; 600 N. Michigan Ave. (entrée dans Ontario St.), 312-276-2500

Situé à l'étage d'un immeuble qui arbore une splendide rotonde à l'angle de Michigan Avenue et d'Ontario Street. Vaste et superbe salle au décor qui s'inspire de l'Art nouveau et des grands cafés d'Europe. Menu des plus éclectiques. Brunch très couru le dimanche.

The Purple Pig $$$ [27]
dim-jeu 11h30 à 24h, ven-sam 11h30 à 2h; 500 N. Michigan Avenue, 312-464-1744

Resto d'inspiration méditerranéenne auréolé de succès dès son ouverture en 2010. Nombreux plats proposés en petites portions (oreilles de porc frites, pâté de foie de porc, queue de porc braisée), ce qui permet d'en essayer plusieurs et de les partager entre compagnons de table.

The Cape Cod $$$$ [26]
dim-jeu 17h30 à 22h, ven-sam 16h à 22h; The Drake Hotel, 140 E. Walton Pl., 312-932-4625

Légendaire restaurant (1933) de l'historique **Drake Hotel** (voir p. 173) réputé pour ses fruits de mer. Décor à la touche rétro qui reprend des éléments propres au monde des marins de la Nouvelle-Angleterre. Tenue de ville requise.

Michael Jordan's Steak House $$$$ [20]
lun-jeu 11h à 22h, ven-sam 11h à 23h, dim 11h à 21h; InterContinental Hotel, 505 N. Michigan Ave., 312-321-8823

Grilladerie classique avec au menu coupes de bœuf et quelques plats de saumon, de homard et de poulet. Au dessert, le gâteau composé de 23 couches de chocolat (23 était le numéro de dossard de l'ancienne superstar du basket Michael Jordan) attire à coup sûr l'attention.

NoMI Kitchen $$$$ [21]

lun-ven 6h30 à 22h, sam-dim 7h à 22h; Park Hyatt Chicago, 800 N. Michigan Ave., 312-239-4030

Au septième étage de l'hôtel **Park Hyatt Chicago** (voir p. 174). Grâce à sa superbe verrière inclinée, le NoMI Kitchen offre une vue incroyable sur la Water Tower. D'allure plus décontractée depuis peu, il s'est réorienté vers la nouvelle cuisine américaine. Jolie terrasse en saison.

Spiaggia $$$$ [24]

dim-jeu 18h à 22h, ven-sam 17h30 à 22h30; One Magnificent Mile Building, 980 N. Michigan Ave., 2e étage, 312-280-2750

Établissement qui arbore un audacieux décor postmoderne et où la cuisine italienne atteint des sommets de finesse. Pianiste tous les soirs. Dans une salle attenante, il y a aussi le *Café Spiaggia* (*$$$; dim-jeu 11h30 à 21h30, ven-sam 11h30 à 22h30),* sorte de trattoria plus décontractée.

Tru $$$$ [28]

lun-jeu 18h à 22h, ven 18h à 23h, sam 17h à 23h, dim fermé; 676 N. St. Clair St., 312-202-0001

Le restaurant Tru, l'une des meilleures tables de Chicago, propose une nouvelle cuisine française des plus inspirées. Présentations artistiques, produits frais du marché et grande créativité. Tenue de ville exigée.

Bars et boîtes de nuit

(voir carte p. 71)

Coq d'Or [29]

lun-sam 11h à 2h, dim 11h à 1h; The Drake Hotel, 140 E. Walton St., 312-932-4622

Chic piano-bar du non moins chic **Drake Hotel** (voir p. 173) qui fut un des premiers établissements à recommencer à servir de l'alcool après la Prohibition. Clientèle de 40 ans et plus en complet-veston ou en tailleur classique.

C-View [30]

dim-jeu 17h à 23h, ven-sam 17h à 24h; MileNorth Chicago, 166 E. Superior St., 312-523-0923

Situé au 29e étage de l'hôtel **MileNorth Chicago** (voir p. 172), ce petit bar avec vue donne aussi accès à une agréable terrasse. Aménagé sur toute la largeur du bâtiment, avec grandes baies vitrées sur trois côtés. Cocktails, vins au verre et petite restauration.

Eno [31]

lun-jeu 16h à 24h, ven-sam 13h à 1h, dim 13h à 22h; InterContinental Hotel, 505 N. Michigan Ave., 312-321-8738

Agréable bar qui propose pas moins de 500 variétés de vins, dont plusieurs servis au verre. Murs recouverts de cuir et meubles de bois foncé confèrent à l'établissement une ambiance feutrée. Choix de chocolats et de fromages en accompagnement.

Le Magnificent Mile

Lookingglass Theatre.

Signature Lounge [32]
dim-jeu 11h à 0h30, ven-sam 11h à 1h30; 875 N. Michigan Ave., 312-787-9596

Pour une vue sensationnelle, c'est au Signature Lounge qu'il faut aller, au 96e étage du John Hancock Center. Bières, vins et cocktails vendus à prix fort, mais tout de même une bonne affaire si l'on compare avec les tarifs de l'observatoire situé au sommet du même gratte-ciel.

Salles de spectacle
(voir carte p. 71)

Lookingglass Theatre [33]
821 N. Michigan Ave.,
www.lookingglasstheatre.org

En 2003, le Lookingglass Theatre a élu domicile dans le bâtiment qui abrite le Chicago Water Works, après y avoir fait aménager une agréable et intime salle de 270 sièges.

Lèche-vitrine
(voir carte p. 71)

Mails commerciaux

The Shops at North Bridge [52]
lun-sam 10h à 21h, dim 11h à 19h; 520 N. Michigan Ave., 312-327-2300,
www.theshopsatnorthbridge.com

Le plus récent mail intérieur du Magnificent Mile. Belle galerie de boutiques, qui suit un parcours incurvé conduisant au grand magasin **Nordstrom**. Parmi les plus agréables boutiques, mentionnons le fabricant de montres suisses **Swatch** et la délicieuse chocolaterie **Vosges Haut-Chocolat**.

Water Tower Place [55]
lun-sam 10h à 21h, dim 11h à 18h; 835 N.
Michigan Ave., 312-440-3166,
www.shopwatertower.com

Le grand magasin **Macy's**, qui s'étend sur huit étages, est la vedette de **Water Tower Place**, le plus fréquenté des mails du Magnificent Mile. Les autres étoiles maison sont l'**American Girl Place**, une boutique de poupées hors du commun, et l'irrésistible **LEGO Store** (jouets).

The 900 Shops [50]
lun-sam 10h à 19h, dim 12h à 18h; 900 N.
Michigan Ave., 312-915-3916,
www.shop900.com

Ce complexe se fait fort de la présence entre ses murs du prestigieux **Bloomingdale's** et du non moins prestigieux **Four Seasons Hotel Chicago** (voir p. 173). Le plus chic des «centres commerciaux verticaux» de North Michigan Avenue.

Articles de voyage

Kaehler Travel Works [47]
The 900 Shops, 900 N. Michigan Ave.,
312-951-8106

Accessoires et bagages; vêtements de voyage; équipement pour tourisme d'aventure.

Bijoux

Bijouterie Cartier [37]
630 N. Michigan Ave., 312-266-7440,
www.cartier.com

Adresse locale de la réputée maison française.

Georg Jensen [44]
959 N. Michigan Ave., 312-642-9160

Remarquables bijoux au design moderne, faits main. L'enseigne à la porte d'entrée ne laisse pas indifférent. On y lit que Georg Jensen est le «*purveyor of her Majesty Queen of Denmark*»...

Tiffany & Company [53]
730 N. Michigan Ave., 312-944-7500,
www.tiffany.com

Succursale chicagoenne de la célèbre bijouterie fondée au XIXe siècle par Charles Tiffany, le père de Louis Comfort Tiffany.

Bonbons et chocolats

Garrett Popcorn Shops [43]
625 N. Michigan Ave., www.garrettpopcorn.com

Ce populaire fabricant de maïs soufflé œuvre à Chicago depuis 1949. Plusieurs adresses un peu partout en ville. Avertissement: il faut être prêt à faire la queue.

Hershey's Chicago [45]
822 N. Michigan Ave., 312-337-7711

Le fabricant de tablettes de chocolat au lait bien connu a pignon sur rue à deux pas de la Water Tower. Bonbons, biscuits, *brownies*, chocolat chaud et produits dérivés de toute nature sont proposés dans cette sympathique boutique.

Vosges Haut-Chocolat [54]
The Shops at North Bridge Mall, 520 N.
Michigan Ave., 2e étage, 312-644-9450,
www.vosgeschocolate.com

Créations de qualité présentées dans de chics emballages au design épuré,

Le Magnificent Mile

Le Magnificent Mile

Le Magnificent Mile.

qui prennent la forme de truffes assaisonnées d'épices ou de fleurs provenant des quatre coins du globe, mais aussi de tablettes de chocolat et de préparations de chocolat chaud.

Galeries d'art

Atlas Galleries [36]
535 N. Michigan Ave., 312-329-9330, 900 N. Michigan Ave., 6e étage, 312-649-0999, www.atlasgalleries.com

Vaste éventail de reproductions d'œuvres de grands maîtres comme Rembrandt ou Renoir, ainsi que d'œuvres originales contemporaines.

Joel Oppenheimer [46]
410 N. Michigan Ave., 312-642-5300, www.audubonart.com

Cette galerie située dans le magnifique cadre du Wrigley Building propose de nombreuses œuvres d'ar-

tistes naturalistes du XVIIe au XIXe siècle, telles les célèbres illustrations signées John J. Audubon.

Lotton Gallery [48]
The 900 Shops, 900 N. Michigan Ave., 6e étage, 312-664-6203, www.lottongallery.com

De splendides vases et autres objets de verre soufflé composent le décor coloré de cette agréable boutique.

Jouets

American Girl Place [34]
Water Tower Place, 835 N. Michigan Ave., 877-247-5223, www.americangirl.com

Vaste boutique de poupées. Vêtements et accessoires tant pour les poupées que pour les fillettes qui en deviennent les propriétaires. Abrite aussi une sorte de mail dans le mail, avec salon de coiffure pour poupées, hôpital pour poupées, restaurant…

Disney Store [41]
717 N. Michigan Ave., 312-654-9208

Succursale de la chaîne de magasins officielle de l'empire Disney. On y retrouve Mickey, Donald et les vedettes des films les plus récents de Disney sur casquettes, t-shirts, serviettes de plage, ainsi qu'en forme de figurines ou de poupées en peluche.

The LEGO Store [51]
Water Tower Place, 835 N. Michigan Ave., 2e étage, 312-494-0760, www.lego.com

Irrésistible boutique qui présente de nombreux modèles réduits de monuments renommés construits à l'aide des célèbres briques de plastique colorées, ainsi que des personnages du cinéma américain, représentés en miniature ou grandeur nature.

Matériel électronique, audio et vidéo

Apple Store [35]
679 N. Michigan Ave., 312-529-9500

Le réputé fabricant d'ordinateurs, d'iPod, iPad, iPhone et autres bidules électroniques a pignon sur le Magnificent Mile.

Garmin [42]
663 N. Michigan Ave., 312-787-3221

Voilà la très belle boutique que s'est offerte ce fabricant de GPS, au cœur du Magnificent Mile, sur l'emplacement de l'ancien Sony Store.

Parfums et soins de la peau

Chanel Boutique [39]
935 N. Michigan Ave., 312-787-5500

Pour le Chanel n° 5, mais aussi pour les vêtements signés, les chaussures, les sacs et autres accessoires.

Sport

Cubs Clubhouse Shop [40]
Water Tower Place, 835 N. Michigan Ave., 7e étage, 312-335-0807

Souvenirs en tous genres aux couleurs des Cubs de Chicago, l'équipe de baseball bien-aimée de la Ville des Vents.

Nike Chicago [49]
669 N. Michigan Ave., 312-642-6363, www.nike.com

Vitrine du célébrissime manufacturier d'articles de sport Nike, cette adresse est devenue une attraction touristique à part entière (on y organise même des visites guidées). Il faut dire que le décor, réparti sur quatre étages accessibles à la clientèle, est extraordinaire!

Vêtements et accessoires

Burberry [38]
633 N. Michigan Ave., 312-787-2500

Ce spectaculaire magasin inauguré à l'automne 2012 est considéré comme le vaisseau amiral en Amérique du célèbre détaillant britannique. Le bâtiment de cinq étages, habillé d'un revêtement noir réfléchissant qui reprend le motif tartan bien connu des amateurs de la marque, vaut à lui seul le déplacement.

Le Magnificent Mile

Le River North

6

Le River North

À voir, à faire
(voir carte p. 89)

Nous définirons le quartier de **River North ★** comme étant le secteur situé au nord de la Chicago River, entre Michigan Avenue et la branche nord de la rivière, et s'étendant jusqu'à Oak Street. Il s'agit aujourd'hui d'un quartier résidentiel en quelque sorte neuf, des lofts aménagés dans d'anciennes manufactures et des immeubles d'appartements y ayant vu le jour en quantité au cours des dernières années. C'est aussi l'un des quartiers les plus animés de la ville en soirée grâce à ses innombrables restaurants et boîtes de nuit en tous genres.

Le circuit débute du côté sud de la Chicago River, d'où vous pouvez apprécier l'aspect extérieur des bâtiments qui s'alignent sur sa rive nord grâce à une vue dégagée. Les nombreux ponts qui enjambent la Chicago River font en sorte qu'il est toujours aisé de s'en approcher plus près si le cœur vous en dit.

Trump International Hotel & Tower ★★ [1]
401 N. Wabash Ave.

Tout juste derrière le **Wrigley Building** (voir p. 69), vous remarquerez tout d'abord la silhouette argentée du Trump International Hotel & Tower, inauguré en 2008. Le très médiatisé milliardaire américain Donald Trump a en effet érigé ici son premier gratte-ciel à Chicago. Réalisée par la mythique firme d'architectes Skidmore, Owings & Merrill, à laquelle on doit entre autres les célèbres **John Hancock Center** (voir p. 75) et **Willis Tower** (voir p. 38), cette tour de 92 étages abrite des unités d'habitation de grand luxe, un hôtel, ainsi que des boutiques au niveau du rez-de-chaussée. Le résultat final donne un gratte-ciel flamboyant, comme

De gauche à droite: Marina City, le 330 North Wabash et le Trump International Hotel & Tower.

il était permis de s'y attendre, mais élégant, qui s'insère bien auprès de ses célèbres voisins et aux abords de la Chicago River. Avec ses 409 m, il s'agit du second édifice en hauteur de la ville après la Willis Tower. Sa silhouette est composée de quelques retraits graduels, qui seraient autant de coups de chapeau aux bâtiments environnants. Ainsi, le premier palier se trouve à peu près à la hauteur du Wrigley Building et de la Tribune Tower, le second à celle de Marina City et le troisième au niveau du 330 North Wabash de Mies van der Rohe.

330 North Wabash ★ [2]

Cet édifice au panache hors du commun est la dernière tour élevée par Mies van der Rohe en sol américain. Elle fut en fait terminée en 1971, soit deux ans après sa mort. On reconnaît bien la signature du maître dans cet édifice d'aluminium noir et de verre teinté, le plus haut gratte-ciel qu'il ait jamais conçu. Le prestigieux bâtiment abrite depuis peu le très chic **Langham Chicago Hotel** (voir p. 176).

Marina City ★ [3]
300 N. State St.

À gauche du 330 North Wabash, les extravagantes tours jumelles de béton de Marina City offrent un contraste pour le moins frappant avec celui-ci. Construits entre 1959 et 1967, ces «épis de maïs géants», comme se plaisent à les surnommer les Chicagoens, étaient justement une réaction aux modèles froids et austères du style international à la Mies van der Rohe, qui dominait alors totalement l'architecture de cette époque. Le complexe est composé de deux tours de 60 étages comprenant des appartements avec

Le Reid-Murdoch Center, couronné d'une horloge, et, à gauche, le Merchandise Mart.

balcons semi-circulaires, ainsi que d'une petite tour de bureaux située à l'arrière. Le rez-de-chaussée du complexe abrite restaurants et boîtes de nuit (Smith and Wollenski, House of Blues).

Reid-Murdoch Center [4]
320 N. Clark St.

Plus loin sur la gauche, le beau bâtiment horizontal que domine une tour couronnée d'une horloge est le Reid-Murdoch Center, qui abrite depuis 2005 l'équipe éditoriale de l'encyclopédie *Britannica*. Il fut construit en 1914 selon les plans de George C. Nimmons, spécialiste de l'architecture commerciale et industrielle. Si l'édifice présente aujourd'hui une façade asymétrique (il y a une série de fenêtres en moins sur la gauche), c'est qu'on a procédé à un réaménagement du côté ouest en 1930, lorsque fut élargie LaSalle Street.

Merchandise Mart ★ [5]
rive nord de la Chicago River, entre les rues Wells et Orleans

Plus loin encore vers l'ouest, la massive construction du Merchandise Mart ne laisse personne indifférent. À l'époque de son érection, en 1930, ce bâtiment constituait le plus grand édifice commercial du monde avec ses 410 000 m^2 de locaux à louer. Il fut élevé pour les besoins de la firme Marshall Field & Co., qui le revendit en 1945 à Joseph P. Kennedy, patriarche du célèbre clan duquel allait émerger le président John F. Kennedy. La famille Kennedy demeurera propriétaire du Merchandise Mart jusqu'en 1998. Aujourd'hui on y trouve deux étages de boutiques et diverses salles d'exposition commerciales.

Quelques-uns des grands architectes de Chicago

Véritable musée à ciel ouvert de l'architecture moderne américaine, Chicago a permis à de nombreux architectes d'exprimer leur talent depuis le Grand Incendie de 1871. Voici quelques-uns d'entre eux:

Daniel H. Burnham (1846-1912): il dirigea l'aménagement de la *World's Columbian Exposition* de 1893 et fut l'auteur de l'avant-gardiste plan d'urbanisme de Chicago, adopté en 1909 dans une Amérique au développement alors fulgurant et chaotique.

Henry Ives Cobb (1859-1931): on lui doit de nombreux bâtiments de styles néoroman et néogothique. Parmi ceux-ci, mentionnons la Newberry Library, l'édifice qui abrite aujourd'hui le Castle Entertainment Complex, ainsi qu'une vingtaine des premiers bâtiments de l'University of Chicago. Cobb fut également très actif dans l'élaboration des plans de la *World's Columbian Exposition* de 1893.

Ludwig Mies van der Rohe (1886-1969): directeur de l'Illinois Institute of Technology à partir de 1937, il réalisa une impressionnante série de constructions à Chicago durant les années 1940 et 1950 (notamment le Federal Center). Ses gratte-ciel innovateurs, à ossature d'acier ou de béton recouverte de verre, à la silhouette dépouillée et aux lignes verticales, firent de lui une figure marquante de l'architecture moderne et du style dit international.

Louis Henri Sullivan (1856-1924): cet architecte est considéré par plusieurs comme le maître à penser de l'«école de Chicago», et peut-être même le père de l'architecture moderne. En 1881, il fonde avec l'ingénieur Dankmar Adler une firme qui laissera une marque indélébile dans le paysage architectural de Chicago. On doit entre autres au duo l'Auditorium Theatre (1889) et l'extraordinaire magasin Carson Pirie Scott and Co. de State Street (1904).

Frank Lloyd Wright (1867-1959): pour plusieurs, Wright fut le plus grand architecte de Chicago. Au cours de la première décennie du XXe siècle, il créa la *Prairie House*, dont la Robie House (1909) est un bel exemple. Lignes horizontales, plans bas, utilisation de matériaux naturels, ouverture sur l'extérieur comptent parmi les caractéristiques de ses constructions résidentielles. Il élabora ainsi peu à peu la théorie de l'architecture organique (*An Organic Architecture*, publié en 1939), pour tenir compte des rapports entre l'individu, le bâtiment et la nature.

Le River North

Le River North

Le River North

À voir, à faire ★

1.	CZ	Trump International Hotel & Tower
2.	CZ	330 North Wabash
3.	CZ	Marina City
4.	BZ	Reid-Murdoch Center
5.	BZ	Merchandise Mart
6.	CY	Harry's
7.	CY	Museum of Broadcast Communications
8.	CY	515 North State Building
9.	CY	Medinah Shriners Temple
10.	CX	Richard H. Driehaus Museum
11.	CX	Episcopal Cathedral of St. James
12.	BX	Gallery District/SuHu
13.	CX	Holy Name Cathedral
14.	CX	Archbishop Quigley Preparatory Seminary/Chapel of St. James
15.	CW	Sofitel Chicago Water Tower
16.	BW	Newberry Library

Cafés et restos ●

17.	CY	Bin 36
18.	CW	Bistronomic
19.	BX	Café Iberico
20.	BX	Chicago Chop House
21.	BY	Coco Pazzo
22.	BX	Ed Debevic's
23.	BY	Frontera Grill/Topolobampo
24.	BY	Gino's East
25.	CY	Hard Rock Cafe
26.	CY	Harry Caray's
27.	AX	Japonais
28.	CW	Le Colonial
29.	CW	Little Market Brasserie
30.	CW	McCormick & Schmick's
31.	AW	mk
32.	AX	Nacional 27
33.	BY	Paris Club Bistro & Bar
34.	CY	Pizzeria Uno
35.	BY	Rainforest Cafe
36.	CY	Shaw's Crab House
37.	BY	Siena Tavern
38.	CY	Sixteen
39.	CZ	Smith & Wollensky
40.	CY	Star of Siam
41.	BY	Tanta
42.	BY	XOCO

Bars et boîtes de nuit ☽

43.	CZ	10pin Bowling Lounge
44.	CY	Andy's
45.	BY	Blue Chicago
46.	BX	Castle Entertainment Complex/Craft Pub & Eatery/Palladium/Domeroom/Cabaret
47.	BX	Clark Street Ale House
48.	CZ	Dick's Last Resort
49.	BY	Moe's Cantina River North
50.	CY	Pops for Champagne
51.	CX	Redhead Piano Bar
52.	CY	Rock Bottom
53.	CY	The Berkshire Room
54.	CX	Underground Wonder Bar

Salles de spectacle ◆

55.	CZ	House of Blues

Lèche-vitrine ■

56.	AX	Abraham Lincoln Book Shop
57.	CW	Adidas Originals Chicago
58.	CY	after-words
59.	BX	Architech Gallery of Architectural Art
60.	CY	Bang & Olufsen Chicago
61.	BY	Bin 36
62.	BX	Carl Hammer Gallery
63.	CY	Eataly
64.	CY	Harley-Davidson Store
65.	CX	Ikram
66.	CY	Jazz Record Mart
67.	BX	Ken Saunders Gallery
68.	BY	Sports Authority
69.	BZ	The Golden Triangle
70.	BX	Zolla-Lieberman Gallery

Hébergement ▲

71.	CY	ACME Hotel Company Chicago
72.	BY	Aloft Chicago City Center
73.	CX	Dana Hotel and Spa
74.	CX	Hotel Cass – A Holiday Inn Express
75.	BX	Hotel Felix Chicago
76.	BY	Hotel Sax Chicago

77.	BY	Ohio House Motel
78.	CW	Sofitel Chicago Water Tower
79.	CY	The James Chicago
80.	CZ	The Langham Chicago
81.	CZ	Trump International Hotel & Tower
82.	CZ	Westin Chicago River North

©ULYSSE

Le River North

1. 515 North State Building.
2. Episcopal Cathedral.

Traversez la rivière par le pont de Dearborn Street.

Harry Caray's [6]
33 W. Kinzie St.

Derrière la «façade» donnant sur la rivière se trouvent quelques édifices d'intérêt, mais de dimensions la plupart du temps moins impressionnantes. Ainsi, à l'angle des rues Dearborn et Kinzie, vous ne pourrez manquer l'extravagant bâtiment qui abrite le restaurant **Harry Caray's** (voir p. 95), qui fut érigé en 1900 par Henry Ives Cobb pour la Chicago Varnish Co.

Museum of Broadcast Communications [7]
12$; mar-sam 10h à 17h; 360 N. State St., 312-245-8200, www.museum.tv

À l'angle des rues Kinzie et State, ce musée rend compte de l'évolution de la radio et de la télévision aux États-Unis au moyen d'archives et d'expositions. Il abrite notamment la National Radio Hall of Fame Gallery.

Empruntez State Street vers le nord jusqu'à Grand Street.

515 North State Building ★ [8]
Cet étonnant gratte-ciel de l'architecte japonais Kenzo Tange (1990) surprend par son toit en angle, dont l'audacieuse forme évoque celle d'une lame de rasoir, et par la présence du «trou» haut de quatre étages qu'on y a percé. L'édifice abrite le siège social de l'American Medical Association (AMA).

Prenez Wabash Avenue à gauche.

Medinah Shriners Temple [9]
600 N. Wabash Ave.

Ce temple à l'allure exotique, avec ses formes tout droit sorties d'Ara-

Le River North

bie, fut élevé en 1913 par les Shriners. S'y trouve aujourd'hui un magasin Bloomingdale's.

En poursuivant vers le nord, vous franchirez les rues Ohio et Ontario, qui regorgent de restaurants thématiques, de boutiques et de boîtes de nuit.

Richard H. Driehaus Museum ★ [10]

20$; mar-dim 10h à 17h; Samuel M. Nickerson House, 40 E. Erie St., 312-482-8933, www.driehausmuseum.org

Le quadrilatère délimité par l'avenue Wabash et les rues Erie, Rush et Huron présente un bel ensemble d'édifices élevés dans le dernier quart du XIXe siècle. On y remarque par exemple quelques magnifiques demeures victoriennes qui rappellent la belle époque où une partie de l'élite de Chicago vivait dans le quartier. Parmi celles-ci, mentionnons la Samuel M. Nickerson House (1883), qui abrite depuis 2008 le Richard H. Driehaus Museum. Une restauration complète de ce splendide manoir a été réalisée entre 2003 et 2008 afin de le transformer en un musée où est mise en valeur la collection personnelle d'objets d'art décoratif datant de la fin du XIXe siècle et du début du XXe siècle (vitraux et lampes dessinés par Louis Comfort Tiffany, meubles, tapisseries, chandeliers, sculptures) de Richard H. Driehaus, un riche gestionnaire de fonds originaire de Chicago.

Episcopal Cathedral of St. James ★ [11]

angle Huron St. et Wabash Ave.

Cette splendide cathédrale fut érigée en 1857 par Edward J. Burling, puis dut être reconstruite en 1875, après le Grand Incendie. C'est

Le River North

1. Holy Name Cathedral.
2. Newberry Library.
3. Sofitel Chicago Water Tower.

alors qu'elle prit l'allure victorienne quelque peu excentrique qu'on lui connaît aujourd'hui, tout en conservant son clocher néogothique originel. Son intérieur coloré, décoré au pochoir en 1888 par Edward Neville Stent, vaut à lui seul le détour.

Tournez à gauche dans Huron Street en direction du quartier des galeries.

Gallery District ★ [12]

Les amateurs d'art contemporain apprécieront les nombreuses galeries d'art du Gallery District, délimité par les rues Wells, Orleans, Huron et Superior. Ce secteur, aussi appelé **SuHu** (du nom des rues Superior et Huron) en réponse au fameux SoHo de New York, a vu se constituer au cours des dernières années une impressionnante concentration de galeries aménagées dans d'anciens entrepôts et usines. Le quartier est aussi habité par une population de jeunes professionnels et artistes ayant transformé de vieilles manufactures en lofts.

Revenez vers l'est par Superior Street.

Holy Name Cathedral ★ [13]
735 N. State St.

À l'angle de State Street, une autre église mérite un coup d'œil dans le secteur : la Holy Name Cathedral. Il s'agit de la cathédrale de l'archidiocèse catholique de Chicago. L'église actuelle, construite en 1874, remplace une première église néogothique datant de 1846 qui fut victime du Grand Incendie. Le pape Jean-Paul II y célébra la messe lors de sa visite officielle en 1979.

Tournez à gauche dans State Street, puis à droite dans Pearson Street.

Archbishop Quigley Preparatory Seminary [14]
831 N. Rush St.

Arborant un style néogothique flamboyant, ce séminaire consacré à l'éducation de futurs prêtres fut terminé en 1918, selon les plans de l'architecte new-yorkais Gustav Steinbeck. La portion sud-ouest du bâtiment abrite l'extraordinaire **Chapel of St. James ★**, dont vous pouvez visiter l'intérieur. Celui-ci, monumental, abrite une impressionnante collection de vitraux réalisés par Robert T. Giles. La Sainte-Chapelle de Paris, élevée au milieu du XIIIe siècle, aurait servi de modèle au concepteur de la Chapel of St. James, Zachary T. Davis.

_____

Poursuivez vers le nord dans Rush Street, puis tournez à gauche dans Chestnut Street.

Sofitel Chicago Water Tower ★★ [15]
20 E. Chestnut St.

Ce splendide hôtel fut érigé en 2002 selon les plans de l'architecte Jean-Paul Viguier. À sa base en ellipse, dans laquelle se concentrent les espaces publics (hall, réception, restaurant, bar, salles de conférences), s'ajoute une tour de 32 étages qui prend la forme d'un prisme aux lignes irrégulières. L'ensemble présente ainsi une allure distinctive que l'on reconnaît de loin.

_____

Tournez à droite dans State Street, puis à gauche dans Delaware Place.

Newberry Library ★★ [16]
entrée libre; mar-ven 9h à 17h, sam 9h à 13h, dim-lun fermé; 60 W. Walton St., 312-943-9090, www.newberry.org

La Newberry Library borde au nord le Washington Square, le plus ancien parc de la ville (1842). Sa façade, qui avait été littéralement noircie par le temps, a été entièrement nettoyée au cours des dernières années et rend à nouveau justice au magnifique édifice élaboré par Henry Ives Cobb entre 1890 et 1893. Celui-ci s'inspira des travaux de Henry H. Richardson pour concevoir ce bâtiment néoroman. Une nouvelle aile de 10 étages fut construite à l'arrière en 1983, ajoutant quelque 8 000 m^2 à la bibliothèque originelle. Des expositions temporaires, qui dévoilent chaque fois quelques-uns des trésors gardés dans cette institution privée, sont organisées tout au long de l'année.

Hard Rock Cafe.

Cafés et restos
(voir carte p. 89)

Ed Debevic's $ [22]
lun-jeu 11h à 21h, ven-sam 11h à 23h, dim 9h à 21h; 640 N. Wells St., 312-664-1707

Authentique *diner* chromé à la mode des années 1950. Ancien frigo Coca-Cola, affiche vintage d'Orange Crush, salle rendant hommage à Elvis, serveurs bourrus à la limite de l'impolitesse (n'en soyez pas offusqué, ça fait partie du concept) qui dansent à l'occasion le rock-and-roll sur le comptoir... Idéal pour les sorties en famille.

Café Iberico $$ [19]
lun-jeu 11h à 23h30, ven-sam 11h à 1h30, dim 11h à 23h; 737 N. LaSalle St., 312-573-1510

Les amateurs de tapas se pressent au Café Iberico, un sympathique restaurant familial espagnol comprenant plusieurs salles aux personnalités diverses. Salades et soupes apparaissent au menu, de même que quelques plats principaux (paella, poulet, poisson).

Gino's East $$ [24]
lun-jeu 11h à 21h, ven-sam 11h à 24h, dim 12h à 21h; 500 N. LaSalle St., 312-988-4800

Vaste succursale de cette institution de la ville fondée en 1966. On y déguste la savoureuse *deep-dish pizza* qui a fait la renommée de l'établissement.

Hard Rock Cafe $$ [25]
lun-jeu 11h à 23h, ven-sam 11h à 1h, dim 11h à 22h; 63 W. Ontario St., 312-943-2252

La gigantesque guitare électrique qui lui sert d'enseigne extérieure rend ce restaurant thématique visible à des lieues à la ronde. L'intérieur est un véritable musée du rock-and-roll, avec ses centaines de souvenirs, costumes de scène, guitares, etc.

Harry Caray's $$ [26]
lun-jeu 11h30 à 22h30, ven-sam 11h30 à 23h; dim 11h30 à 22h; 33 W. Kinzie St., 312-828-0966

Les murs de ce restaurant sont littéralement couverts de photographies sportives, sur lesquelles on aperçoit souvent le regretté Harry Caray, ex-commentateur des matchs des Cubs et figure emblématique de Chicago. Steaks et spécialités italiennes classiques.

Pizzeria Uno $$ [34]
lun-ven 11h à 1h, sam 11h à 2h, dim 11h à 23h; 29 E. Ohio St., 312-321-1000

La Pizzeria Uno s'autoproclame la «*birthplace of deep-dish pizza*». Établissement très sympathique où la *deep-dish pizza* est savoureuse à souhait. Cette pizzeria, fondée au début des années 1940, est le restaurant originel de ce qui est devenu une importante chaîne.

Rainforest Cafe $$ [35]
lun-jeu 11h à 21h30, ven 11h à 22h30, sam 11h à 23h, dim 11h à 21h; 605 N. Clark St., 312-787-1501

Le Rainforest Cafe recrée à l'intérieur de ses murs l'humide atmosphère d'une forêt équatoriale à l'aide de cascades, d'aquariums, de rochers, de lianes et d'animaux mécaniques. Le menu est quant à lui beaucoup moins exotique : salades, pâtes, pizzas, poulet.

Harry Caray's.

Star of Siam $$ [40]
dim-jeu 11h à 22h, ven-sam 11h à 23h; 11 E. Illinois St., 312-670-0100

Resto thaï «caché» dans un coin tranquille d'Illinois Street, à deux pas du Jazz Record Mart. Joli décor à la fois simple et chaleureux. Délicieuses soupes miso et tom yum, rouleaux de printemps, tempuras de crevettes et légumes, saumon teriyaki et quantité d'autres classiques au menu.

XOCO $$ [42]
mar-jeu 8h à 21h, ven-sam 8h à 22h, dim-lun fermé; 449 N. Clark St., 312-334-3688

Le XOCO est l'un des restos du chef Rick Bayless, à qui l'on doit le Topolobampo et le **Frontera Grill** (voir p. 96). Sorte de comptoir où sont servis des *tortas* (sandwichs à la viande braisée), des *caldos* (soupes à la viande) mexicains et de succulents chocolats chauds.

◉ Bin 36 $$$ [17]

tlj petit déjeuner, déjeuner, dîner; 339 N. Dearborn St., 312-755-9463

Tout dans cet établissement tourne autour du thème vinicole. Ainsi, le menu de cuisine américaine contemporaine, proposé dans ses deux salles à manger, comprend quelques suggestions de vins pour accompagner chaque plat, tous servis au verre ou en bouteille.

◉ Bistronomic $$$ [18]

lun-mar 17h à 22h, mer-jeu 11h à 22h, ven 11h à 23h, sam 10h à 23h, dim 10h à 22h; 840 N. Wabash St., 312-944-8400

Agréable bistro français comportant une salle principale fort animée à l'avant et, dissimulée derrière le bar tout au fond, une petite section plus intime avec tables hautes. Moules, steak frites, tartare et autres classiques de bistro, apprêtés de manière inventive. Terrasse en saison.

Chicago Chop House $$$ [20]

lun-jeu 17h à 23h, ven 17h à 23h30, sam 16h30 à 23h30, dim 16h30 à 23h; 60 W. Ontario St., 312-787-7100

Grilladerie très appréciée d'Ontario Street. Savoureux filets mignons, *New York strips*, *T-bone steaks* et côtes levées. Décor chaleureux grâce à ses boiseries foncées et à sa collection de photographies historiques. Pianiste tous les soirs au rez-de-chaussée.

Coco Pazzo $$$ [21]

lun-jeu 11h30 à 22h30, ven 11h30 à 23h, sam 17h30 à 23h, dim 17h à 22h; 300 W. Hubbard St., 312-836-0900

L'un des restaurants italiens les plus appréciés de Chicago. Décor classique et chaleureux. Savoureuse cuisine toscane. Terrasse en saison.

◉ Frontera Grill $$$ [23]

mar-jeu 11h30 à 22h, ven 11h30 à 23h, sam 17h à 23h, dim-lun fermé; 445 N. Clark St., 312-661-1434

Une adresse à retenir pour manger mexicain à Chicago et faire la fête. Ce restaurant, minuscule et fort populaire, sert une cuisine mexicaine authentique dans un cadre décontracté et jovial. On trouve sous le même toit le **Topolobampo**, plus chic.

◉ Little Market Brasserie $$$ [29]

dim-mer 6h30 à 23h, jeu-sam 6h30 à 24h; Talbott Hotel, 10 E. Delaware Pl., 312-640-8141

Charmante et relativement intime brasserie américaine au décor minimaliste (plafond de bois lambrissé, mur de briques blanches) et de dimensions modestes. Menu composé principalement de plats à partager. Au dessert, choix de glaces dont on peut faire le *sundae* que l'on veut avec les différentes garnitures proposées au bar.

McCormick & Schmick's $$$ [30]

dim-jeu 11h30 à 22h, ven-sam 11h30 à 23h; 41 E. Chestnut St., 312-397-9500

L'un des «repaires» favoris des amateurs de poissons et de fruits de mer. Le menu propose pas

Frontera Grill.

moins d'une trentaine de poissons et crustacés apprêtés de diverses façons. Terrasse à l'avant, donnant sur Chestnut Street.

ⓦ Nacional 27 $$$ [32]
lun-jeu 17h30 à 21h30, ven 17h30 à 2h, sam 17h à 3h, dim fermé; 325 W. Huron St., 312-664-2727

Les cuisines de Cuba, du Brésil, de l'Argentine, etc., sont tour à tour en vedette ici. Comme son nom l'indique, 27 cuisines latines sont représentées dans cet étonnant restaurant du Gallery District. Musique et danse les vendredi et samedi soirs dès 22h30.

Paris Club Bistro & Bar $$$ [33]
dim-mar 16h à 22h, mer-jeu 16h à 24h, ven-sam 16h à 1h; 59 W. Hubbard St., 312-595-0800

Les classiques de la cuisine française figurent au menu de ce restaurant complètement remodelé au début de 2014. La nouvelle incarnation propose une salle plus intime aux dimensions réduites, dont le décor se compose de panneaux de bois foncé et de grands miroirs qui évoquent le Paris des années 1950.

Shaw's Crab House $$$ [36]
lun-jeu 11h30 à 22h, ven 11h30 à 23h, sam 16h30 à 23h, dim 10h à 22h; 21 E. Hubbard St., 312-527-2722

Il convient de réserver pour espérer goûter les fruits de mer du Shaw's Crab House. Succulents plats de homard du Maine, de saumon de l'Alaska, de crabe de Virginie, etc. Musiciens de blues ou de jazz au Blue Crab Lounge dès 19h du dimanche au jeudi.

Siena Tavern $$$ [37]
lun-ven 11h30 à 2h, sam 10h à 3h, dim 10h à 2h; 51 W. Kinzie St., 312-595-1322

Classiques de diverses cuisines régionales italiennes, succulentes pizzas et plats d'influence méditerranéenne plus audacieux sont servis ici dans un cadre énergique et enjoué. Fromage mozzarella et pâtes fraîches maison. Petite terrasse à l'avant en saison.

Tanta $$$ [41]
lun-jeu 17h à 23h, ven-sam 17h à 24h, dim 17h à 21h; 118 W. Grand Ave., 312-222-9700

Ce nouveau venu propose une cuisine péruvienne authentique pimentée comme il se doit d'influences asiatiques. Cadre design tant en façade qu'à l'intérieur, où de beaux tableaux colorés ornent les murs blancs. Excellent choix de *ceviches* (poisson ou fruits de mer marinés). Très bon service.

Japonais $$$-$$$$ [27]
lun-ven 11h30 à 22h30, sam-dim 17 à 22h30; 600 W. Chicago St., 312-822-9600

Installé dans un ancien entrepôt, ce restaurant jouit d'un décor fabuleux qui lui donne une allure très design. Pour demeurer dans le ton, sushis, sashimis et autres spécialités japonaises sont présentés de manière spectaculaire.

mk $$$-$$$$ [31]
dim-jeu 17h30 à 22h, ven-sam 17h30 à 23h; 868 N. Franklin St., 312-482-9179

Murs de briques, poutres de bois, niveaux multiples, œuvres d'art contemporain, voilà le cadre de ce restaurant du secteur du Gallery District. Intéressante cuisine américaine aux influences française et italienne. Présentation spectaculaire des plats. Tenue de ville recommandée.

Le Colonial $$$$ [28]
lun-mer 11h30 à 23h, jeu-sam 11h30 à 24h, dim 11h30 à 22h; 937 N. Rush St., 312-255-0088

Astucieuse combinaison des saveurs vietnamiennes et françaises: purée de crevettes enveloppée dans des feuilles de canne à sucre, canard rôti au gingembre et légumes arrosés de lait de coco. Agréable terrasse au balcon.

Sixteen $$$$ [38]
tlj 6h30 à 22h; Trump International Hotel & Tower, 16e étage, 401 N. Wabash Ave., 312-588-8030

Très belle salle à manger au haut plafond auquel pend un immense lustre moderne. Exceptionnelle terrasse d'où l'on a une vue superbe, notamment sur l'émouvant Wrigley Building, juste à côté. Cuisine américaine des plus éclectiques. Impressionnante carte des vins.

Smith & Wollensky $$$$ [39]
lun-jeu 11h30 à 1h, ven-sam 11h30 à 1h30, dim 11h à 24h; Marina City, 318 N. State St., 312-670-9900

La célèbre grilladerie de New York a pignon sur rue (ou plutôt sur rivière...) à Chicago. Installé au pied de **Marina City** (voir p. 85), l'établissement profite d'une jolie terrasse donnant sur la Chicago River. Mais on y vient surtout pour les steaks, tendres et succulents.

Smith & Wollensky.

Bars et boîtes de nuit

(voir carte p. 89)

10pin Bowling Lounge [43]
dim-jeu 11h à 24h, ven 11h à 2h, sam 11h à 3h;
Marina City, 330 N. State St., 312-644-0300,
www.10pinchicago.com

Cet établissement réinvente le traditionnel salon de quilles. En plus de
ses 24 allées, écrans vidéo, effets
lumineux, tubes de l'heure et mar-
tinis forment une combinaison pour
le moins particulière. Réservé aux 21
ans et plus.

Andy's [44]
droit d'entrée; dim-jeu 16h à 1h, ven-sam 16h à
1h30; 11 E. Hubbard St., 312-642-6805,
www.andysjazzclub.com

L'une des boîtes de jazz les plus en
vue de la ville. Des spectacles sont
à l'affiche tous les soirs. Ne manquez pas de jeter un œil au «Wall
of Fame», derrière le bar, qui rend
hommage aux plus grands jazzmen
à s'être produits ici.

Blue Chicago [45]
droit d'entrée; dim-ven 20h à 1h30, sam 20h à
2h30; 536 N. Clark St., 312-661-0100,
www.bluechicago.com

Les amateurs de chanteuses de
blues trouveront leur bonheur au
Blue Chicago, qui leur laisse la scène
le plus souvent possible. L'établissement ne paie pas de mine et est
fréquenté par une foule bigarrée,
mais les musiciens s'avèrent la plupart du temps fort bons.

**Castle Entertainment
Complex** [46]
632 N. Dearborn St., 312-266-1944

Plusieurs boîtes regroupées dans un
immeuble historique «déguisé» en
château fort médiéval: **Craft Pub &
Eatery** *(resto-bar; mer-sam)*, **Palla-**

Redhead Piano Bar.

dium (*boîte animée par des DJ; jeu-sam*), **Domeroom** (*hip-hop et musique électronique; ven-sam*) et **Cabaret** (*spectacles variés; mer-sam*).

Clark Street Ale House [47]
lun-jeu 16h à 4h, sam 11h à 5h; dim 11h à 4h; 742 N. Clark St., 312-642-9253
La Clark Street Ale House réserve de belles surprises à ceux qui ne peuvent résister à la tentation de goûter de nouvelles bières. Ce bar à bières propose en effet une grande sélection de produits provenant de plus de 40 microbrasseries.

Dick's Last Resort [48]
lun-jeu 11h à 24h, ven-sam 11h à 2h, dim 10h à 1h; 315 N. Dearborn St., 312-836-7870
Le Dick's Last Resort est installé au pied du complexe de Marina City, d'où il offre une jolie vue sur la Chicago River. Des groupes rock se produisent tous les soirs dans ce joyeux et bruyant resto-bar, qui propose en outre un menu complet.

Moe's Cantina River North [49]
155 W. Kinzie St., 312-245-2000, www.moescantina.com
Restaurant de spécialités mexicaines, sud-américaines et espagnoles, installé dans un ancien entrepôt aux murs de briques. Mais c'est d'abord pour son bar où sangrias, margaritas et tequilas coulent à flots que l'on s'y presse.

Pops for Champagne [50]
droit d'entrée; dim-ven 15h à 2h, sam 13h à 2h; 601 N. State St., 312-266-7677, www.popsforchampagne.com
Une centaine d'étiquettes de champagnes et de vins sont proposées ici. Des musiciens de jazz animent les lieux du dimanche au mardi à compter de 21h. Menu de petits plats et de caviars. Ambiance romantique.

Redhead Piano Bar [51]
dim-ven 19h à 4h, sam 19h à 5h; 16 W. Ontario St., 312-640-1000, www.redheadpianobar.com
Protégé par une haute clôture en fer forgé, le Redhead Piano Bar semble vouloir se cacher discrètement au fond d'un demi-sous-sol. Il est cependant trahi par une grande affiche illuminée, visible à des lieues à la ronde…

Rock Bottom [52]
dim-jeu 11h à 1h, ven-sam 11h à 2h; 1 W. Grand Ave., 312-755-9339
Le Rock Bottom est l'endroit tout indiqué pour regarder un match sur

Le River North

House of Blues.

écran géant tout en savourant l'une des bières brassées sur place. On peut aussi y déguster sandwichs, pâtes et salades. La terrasse, située sur le toit, vaut à elle seule le déplacement.

The Berkshire Room [53]
dim-ven 16h à 2h, sam 16h à 3h; Acme Hotel, 15 E. Ohio, 312-894-0954

Bar de type *lounge* situé tout au fond du hall de l'Acme Hotel. Au programme, cocktails créatifs et ambiance sensuelle.

Underground Wonder Bar [54]
droit d'entrée; dim-ven 19h à 2h, sam 19h à 3h; 710 N. Clark St., 312-266-7761, www.undergroundwonderbar.com

Idéal pour un concert de jazz qui dure jusqu'aux petites heures. Nouvelle adresse dans Clark Street depuis l'automne 2011. La chanteuse et pianiste Lonie Walker en

est toujours propriétaire et s'y produit plusieurs soirs par semaine avec son Big Bad Ass Company Band.

Salles de spectacle
(voir carte p. 89)

House of Blues [57]
droit d'entrée; lun-ven 11h30 à 2h, sam 11h30 à 3h, dim 10h à 2h; 329 N. Dearborn St., 312-923-2000, www.hob.com

Au House of Blues, des groupes de blues, mais aussi de jazz, de rhythm-and-blues, de zydeco, de rock alternatif et de hip-hop donnent des spectacles dans une salle de 1 500 places construite sur le modèle du Théâtre d'opéra de Prague. Le dimanche, un brunch est servi au rythme de chants gospel.

Lèche-vitrine
(voir carte p. 89)

Alimentation

Eataly [63]
43 E. Ohio St., 312-521-8700

Concept créé à Turin qui allie sous un même toit marché gastronomique italien, cafés, bars, restos, école de cuisine et centre d'exposition. Repris aux États-Unis par le très médiatisé tandem formé par le chef Mario Batali et le restaurateur Joe Bastianich, Eataly a connu un succès phénoménal à New York. Très attendue, la version chicagoenne a ouvert ses portes en décembre 2013 dans les vastes locaux autrefois occupés par l'ESPN Club.

Antiquités

The Golden Triangle [69]
330 N. Clark St., 312-755-1266,
www.goldentriangle.biz

Cette immense boutique ravira les amateurs de meubles et d'antiquités asiatiques et européennes.

Architecture

**Architech Gallery
of Architectural Art** [59]
730 N. Franklin St., Suite 200, 312-475-1290,
www.architechgallery.com

Cette galerie se spécialise dans les esquisses et plans originaux d'architectes comme Frank Lloyd Wright et Daniel Burnham. On y trouve même des dessins réalisés au XIXe siècle par le bureau parisien de Viollet-le-Duc, ainsi qu'une collection de photographies d'architecture.

Cadeaux et souvenirs

Harley-Davidson Store [64]
66 E. Ohio St., 312-274-9666

Il ne s'agit pas d'un concessionnaire de motocyclettes, mais plutôt d'une boutique spécialisée dans les produits portant les couleurs de la célèbre firme américaine : vêtements de cuir, t-shirts, modèles réduits, etc.

Disques et musique

Jazz Record Mart [66]
27 E. Illinois, 312-222-1467,
www.jazzmart.com

Éventail exceptionnel de disques de jazz et de blues. Également : affiches, t-shirts et DVD.

Galeries d'art

Dans le périmètre délimité grossièrement par les rues Wells, Superior, Orleans et Huron, grandit ce que l'on appelle maintenant le Gallery District. Ce secteur de River North, baptisé « SuHu » (du nom des rues Superior et Huron), se voit en effet envahi par toute une série de galeries d'art que l'on a installées dans d'anciens entrepôts ou usines.

Carl Hammer Gallery [62]
740 N. Wells St., 312-266- 8512,
www.hammergallery.com

Œuvres contemporaines d'artistes américains et européens.

Le River North

Ken Saunders Gallery [67]
230 W. Superior St., 312-573-1400,
www.kensaundersgallery.com

Sculptures contemporaines en verre.

Zolla-Lieberman Gallery [70]
325 W. Huron St., 312-944-1990,
www.zollaliebermangallery.com

La première galerie à s'être installée
dans les parages, en 1975.

Librairies

Abraham Lincoln Book Shop
[56] 357 W. Chicago Ave., 312-944-3085,
www.alincolnbookshop.com

On y trouve probablement tout ce qui
a pu s'écrire sur le 16e président américain et sur la guerre de Sécession.

after-words [58]
23 E. Illinois St., 312-464-1110

Grande librairie indépendante proposant des livres neufs et d'occasion.

Matériel électronique, audio et vidéo

Bang & Olufsen Chicago [60]
609 N. State St., 312-787-6006

Chaînes stéréophoniques de qualité
supérieure au design moderne.

Sport

Adidas Originals Chicago [57]
923 N. Rush St., 312-932-0651

Boutique du célèbre fabricant d'es-
padrilles et de vêtements de sport.

Sports Authority [68]
620 N. LaSalle St., 312-337-6151

La boutique de cet immense détaillant d'articles de sport s'étend sur
plusieurs étages. Il est par ailleurs

Sports Authority.

amusant de repérer les empreintes
de main laissées par les vedettes
favorites du sport professionnel sur
les murs extérieurs du magasin.

Vêtements et accessoires

Ikram [65]
15 E. Huron St., 312-587-1000, www.ikram.com

Boutique stylée de vêtements pour
dames signés par des designers
américains, européens et japonais.
Michelle Obama serait une habituée.

Vins et spiritueux

Bin 36 [61]
339 N. Dearborn St., 312-755-9463,
www.bin36.com

En plus d'un bar à vins et d'un restaurant, cet établissement situé au
pied de l'hôtel Sax Chicago abrite
une jolie boutique qui propose une
sélection limitée (mais de qualité)
de bonnes bouteilles.

Le River North

7

Navy Pier et ses environs

À voir, à faire
(voir carte p. 109)

Le secteur de **Navy Pier et ses environs** ★, situé immédiatement au nord de la Chicago River et à l'est de Michigan Avenue, a beaucoup en commun avec le River North : nombreux hôtels, restaurants, lieux touristiques et institutions culturelles ; proximité des boutiques du Magnificent Mile ; concentration d'immeubles résidentiels de construction souvent récente ; présence d'une importante population universitaire (campus de la Northwestern University). On y sent donc une énergie et une effervescence proches de celles de River North, avec en prime un accès unique au lac grâce à l'immense jetée reconvertie en complexe de divertissement qu'est Navy Pier.

Le circuit débute au pied de la Lake Point Tower, à l'angle de North Lake Shore Drive et de Grand Avenue.

Lake Point Tower ★ [1]
505 N. Lake Shore Dr.

Les concepteurs de cette élégante tour se seraient inspirés d'un projet élaboré, mais jamais réalisé, par Mies van der Rohe entre 1919 et 1921 ! La Lake Point Tower a été terminée en 1968 selon les plans de Schipporeit & Heinrich, d'anciens élèves et employés du maître. Elle fut en fait la première construction à murs de verre convexes à voir le jour.

Ohio Street Beach [2]

Le **Jane Addams Memorial Park** [3], situé pratiquement au pied de la Lake Point Tower, donne accès à la minuscule mais fort agréable Ohio Street Beach. Non loin de là,

Ohio Street Beach.

Les plages de Chicago

À l'intérieur des limites de la ville de Chicago, on compte 34 plages qui s'étendent sur quelque 24 km. Elles sont, pour la plupart, sûres et bien entretenues, et la baignade s'y avère presque toujours bonne, même si l'eau est plutôt froide (respectez toutefois scrupuleusement les avis d'interdiction de baignade en certains endroits). La limpidité des eaux du lac Michigan, du moins près des rives, a de quoi surprendre les plus sceptiques.

Certaines de ces plages sont facilement accessibles depuis le centre-ville. C'est le cas de l'Ohio Street Beach, située tout près de Navy Pier, mais aussi de l'Oak Street Beach (voir p. 115) et de la North Avenue Beach (voir p. 126).

Les plages de Chicago sont officiellement ouvertes, c'est-à-dire que la baignade est surveillée, tous les jours entre 9h et 21h30, et ce, du Memorial Day (dernier lundi de mai) à la fête du Travail (premier lundi de septembre).

le beau **Milton Lee Olive Park** [4] maquille habilement les équipements municipaux de traitement des eaux.

Gateway Park ★ [5]

Le Gateway Park est un impressionnant jardin de sculptures qui s'étend tout juste devant le centre de divertissement de Navy Pier. La pièce maîtresse de ce regroupement s'intitule *Water Marks* ★ et est composée d'un sentier sinueux dessinant le parcours suivi par le canal Illinois-Michigan. Cette œuvre d'art public fut d'ailleurs installée en 1998 pour célébrer le 150ᵉ anniversaire de ce canal qui relie le lac Michigan aux rivières Chicago et Illinois, et qui, lors de sa construction, permit de compléter le réseau de voies navigables reliant les Grands Lacs au golfe du Mexique. Le sentier est

parsemé de quatre grands bancs de parc couverts de mosaïques racontant l'histoire du canal et de la ville. Également à signaler, la monumentale **Gateway Park Fountain** ★ de granit noir attire en été d'innombrables familles qui viennent se rafraîchir et s'amuser à la faveur de ses divers jets d'eau.

Navy Pier ★★ [6]

mai à août dim-jeu 10h à 22h, ven-sam 10h à 24h; sept et oct dim-jeu 10h à 20h, ven-sam 10h à 22h; nov à mars lun-jeu 10h à 20h, ven-sam 10h à 22h, dim 10h à 19h; avr et mai dim-jeu 10h à 20h, ven-sam 10h à 22h; présentation de feux d'artifice en été tous les mercredi et samedi soirs; 600 E. Grand Ave., 312-595-5282, www.navypier.com

On prévoyait à l'origine l'aménagement de cinq jetées municipales de 900 m de long, mais Navy Pier fut la seule jamais construite (1916). Entre 1918 et 1930, Navy Pier

1. La grande roue de Navy Pier.
2. Crystal Gardens.

connut son âge d'or alors qu'il servait d'embarcadère de passagers (niveau supérieur) et de marchandises (étage inférieur). Le déclin du transport maritime entraîna la conversion du site en base de la Marine américaine au cours de la Seconde Guerre mondiale. En 1976, les bâtiments situés à l'est, entre autres le dôme abritant la salle de bal, furent restaurés. À la fin des années 1980, un vaste plan de réaménagement fut adopté afin de transformer l'ensemble du site en centre culturel et récréatif. À noter qu'un nouveau réaménagement est en cours en vue du centenaire de Navy Pier, en 2016, ce qui peut engendrer quelques perturbations et des fermetures partielles.

Le complexe comprend entre autres une galerie marchande, un amphi-théâtre de 1 500 places, une jolie promenade extérieure, un carrousel et une **grande roue** [7] géante (45 m de haut) de 40 cabines rappelant que c'est à Chicago que George W.G. Ferris inventa ce type de manège (*Ferris wheel* en anglais) pour la *World's Columbian Exposition*. Il y a aussi un **cinéma IMAX** [8] et une station de radio (WBEZ 91,5 FM). Les **Crystal Gardens** [9] sont, quant à eux, une sorte de jardin botanique intérieur dans lequel croissent plantes tropicales et arbres exotiques.

À l'intérieur de Navy Pier, quelques attraits méritent une attention particulière. C'est le cas du Chicago Children's Museum, du Shakespeare Theater et du Smith Museum of Stained Glass Windows.

Navy Pier et ses environs

À voir, à faire ★

1.	CZ	Lake Point Tower
2.	CY	Ohio Street Beach
3.	CY	Jane Addams Memorial Park
4.	DY	Milton Lee Olive Park
5.	DZ	Gateway Park/*Water Marks*/ Gateway Park Fountain
6.	DZ	Navy Pier
7.	DZ	Grande roue
8.	DY	Cinéma IMAX
9.	DZ	Crystal Gardens
10.	DZ	Chicago Children's Museum/ Family Pavilion
11.	EZ	Smith Museum of Stained Glass Windows
12.	CZ	River East Art Center
13.	BZ	Centennial Fountain
14.	BZ	River Esplanade
15.	BZ	*Floor Clock II*
16.	BZ	NBC Tower

Cafés et restos ●

17.	DZ	Häagen-Dazs
18.	EZ	Riva
19.	EZ	The Billy Goat Tavern
20.	CY	Wave

Bars et boîtes de nuit ☽

21.	BZ	Lucky Strike Lanes
22.	EZ	Navy Pier Beer Garden
23.	CY	Whiskey Sky

Salles de spectacle ◆

24.	DZ	Shakespeare Theater

Lèche-vitrine ■

25.	DZ	Build-A-Bear Workshop
26.	DY	Oh Yes Chicago!
27.	DY	The Navy Pier Signature Store
28.	CY	Treasure Island Foods

Hébergement ▲

29.	BY	Ivy Boutique Hotel
30.	BZ	Sheraton Chicago Hotel & Towers
31.	CY	W Chicago Lakeshore

1. Lakefront Trail.
2. Smith Museum of Stained Glass Windows.

Navy Pier et ses environs

Le Lakefront Trail à vélo

Le **Lakefront Trail** est une exceptionnelle piste cyclable qui serpente à travers le chapelet de parcs qui longe le lac Michigan. Cette route protégée s'étire sur une trentaine de kilomètres, entre 71st Street au sud et Hollywood Avenue au nord.

Pour louer une bicyclette, on peut s'adresser à **Bike Chicago** *(à partir de 10$/h, 30$/demi-journée ou 35$/jour; 312-729-1000, www. bikechicago.com)*. Cette entreprise gère plusieurs centres de location le long du lac Michigan: **Navy Pier** *(600 E. Grand Ave.)*, **Millennium Park** *(239 E. Randolph St.)*, **Riverwalk** *(310 E. Riverwalk South)*, **53rd Street Bike Center** *(1558 E. 53rd St.)* **et Wabash and Wacker** *(316 N. Wabash Ave.)*.

Chicago Children's Museum ★ [10]

14$; dim-mer et ven-sam 10h à 17h, jeu 10h à 20h; 312-527-1000,
www.chicagochildrensmuseum.org

Le complexe de Navy Pier abrite, dans son **Family Pavilion**, le Chicago Children's Museum. Ce musée inusité et original invite les enfants de 15 ans et moins à participer à des ateliers, à construire ponts et édifices au moyen de jeux de construction, à découvrir leur arbre généalogique, etc. Des expositions interactives les sensibilisent aux questions environnementales et les initient au monde des arts. Le tout s'inscrit dans une mise en scène vivante et colorée, conçue dans le but de stimuler la curiosité et la créativité des enfants.

Smith Museum of Stained Glass Windows ★ [11]

entrée libre; dim-jeu 10h à 20h, ven-sam 10h à 22h

Ce musée gratuit présente une impressionnante collection de vitraux créés à Chicago et dans ses environs de 1870 à nos jours. Des œuvres d'artistes comme les architectes Frank Lloyd Wright et Louis H. Sullivan, et comme le designer Louis Comfort Tiffany, peuvent ainsi être admirées de près.

_____

Revenez ensuite vers l'ouest par Illinois Street.

River East Art Center [12]

435 E. Illinois St., 312-321-1001,
www.rivereastartcenter.com

Au début des années 1990, on avait transformé en mail cet ancien

centre d'exposition de marchandises diverses portant jadis le nom de Pugh Terminal (1905). L'expérience se solda par un échec, et l'endroit s'est longtemps cherché une nouvelle vocation. Aujourd'hui, l'édifice abrite d'élégantes galeries d'art, des ateliers et des espaces pour la tenue d'événements divers.

_____

Tournez à gauche dans McClurg Court.

Centennial Fountain ★ [13]

Au bout de McClurg Court, au bord de la Chicago River, vous rejoindrez la Centennial Fountain. Elle fut élevée en 1989 afin de marquer le centenaire du Metropolitan Water Reclamation District, cet organisme chargé d'assurer l'approvisionnement et la qualité de l'eau potable à Chicago. En été, aux heures, un spectaculaire jet est propulsé en arc au-dessus de la rivière.

Navy Pier et ses environs

Centennial Fountain et River Esplanade.

River Esplanade ★ [14]

Cette promenade permet ensuite de déambuler le long de la rivière et de profiter de belles vues sur le Loop. Vous passerez ainsi au pied du **Sheraton Chicago Hotel & Towers** *(301 E. North Water St.)* (voir p. 177), qui se dresse tel un phare géant sur ce magnifique site depuis 1992. Derrière, à l'intersection de Columbus Drive et d'Illinois Street, une place originale met en vedette la «sculpture interactive» de Vito Acconci *Floor Clock II* [15]. Il s'agit, comme son titre le suggère, d'un cadran géant posé à plat sur le sol. Ses chiffres servent aussi de bancs publics.

NBC Tower ★★ [16]
454 N. Columbus Dr.

Cette remarquable construction postmoderne terminée en 1989 rend un émouvant hommage au style Art déco. Sa composition admirablement équilibrée, ses lignes verticales judicieusement employées et la pointe couronnée d'une antenne qu'elle dessine gracieusement à son sommet en font l'une des plus belles réussites de la fin du XXe siècle à Chicago.

Cafés et restos
(voir carte p. 109)

The Billy Goat Tavern $ [19]
lun-ven 7h à 21h, sam-dim 7h à 23h; Navy Pier, 700 E. Grand Ave., 312-670-8789

Version aseptisée du célébrissime *greasy spoon* de l'étage inférieur de Michigan Avenue (voir p. 77). Une exposition de photos raconte l'histoire de l'établissement et la légende de la malédiction que lança jadis le propriétaire des lieux aux malheureux Cubs (voir p. 15).

Häagen-Dazs $ [17]
Navy Pier, 800 E. Grand Ave., 312-467-9200

Les amateurs de glaces seront heureux de découvrir le comptoir Häagen-Dazs au complexe récréo-touristique de Navy Pier. On peut aussi y savourer salades et sandwichs à l'intérieur ou, en saison, sur la terrasse.

Riva $$$$ [18]
tlj 11h30 à 22h30; Navy Pier, 700 E. Grand Ave., 312-644-7482

Riva propose une splendide vue sur le lac Michigan et les bateaux amarrés à Navy Pier. Café avec terrasse au rez-de-chaussée. Salle à manger au menu plus élaboré à l'étage: poissons (pavé de saumon, filet de thon), steaks et pâtes.

Wave $$$$ [20]
dim-jeu 6h à 22h, ven-sam 6h à 23h; W Chicago Lakeshore, 644 N. Lake Shore Dr., 312-255-4460

Resto branché de l'hôtel **W Chicago Lakeshore** (voir p. 177). Une grande vague (*wave*) rouge ondule au-dessus des têtes dans la salle à manger au décor sensuel. Fruits de mer et viandes grillées apprêtés à la manière des diverses cuisines méditerranéennes.

Bars et boîtes de nuit *(voir carte p. 109)*

Lucky Strike Lanes [21]
lun-jeu 12h à 24h, ven 12h à 2h, sam 11h à 2h, dim 11h à 24h; 322 E. Illinois St., 312-245-8331, www.bowlluckystrike.com

Nombreux écrans vidéo, trois bars, musique tonitruante en soirée... on n'a plus les salons de quilles qu'on avait! Ah oui, il y a aussi 18 allées pour jouer. Pour les 21 ans et plus après 21h.

Navy Pier Beer Garden [22]
Memorial Day à oct, tlj 11h à 24h; 700 E. Grand Ave., 312-595-5439

Près du Grand Ball Room, le Navy Pier Beer Garden est tout indiqué pour se désaltérer en plein air et en toute simplicité: on s'achète une bière au comptoir, puis on se choisit une place sans autre formalité. En été, des spectacles sont à l'affiche tous les soirs.

Whiskey Sky [23]
dim-jeu 18h à 2h, ven 17h à 2h, sam 17h à 3h; W Chicago Lakeshore, 644 N. Lake Shore Dr., 312-255-4463

Au sommet de l'hôtel branché qu'est le **W Chicago Lakeshore** (voir p. 177), vous trouverez le Whiskey Sky. Décor ultramoderne, vue panoramique insaisissable sur Navy Pier et le lac Michigan, serveuses en robes noires moulantes, belle clientèle et prix élevés.

Salles de spectacle
(voir carte p. 109)

Shakespeare Theater [24]
Navy Pier, 800 E. Grand Ave., 312-595-5600, www.chicagoshakes.com

Depuis l'automne 1999, ce magnifique théâtre de 525 places, voué exclusivement au répertoire shakespearien, permet d'apprécier de très près le jeu des comédiens grâce à une habile disposition des sièges autour de la scène.

Navy Pier.

Lèche-vitrine
(voir carte p. 109)

Alimentation

Treasure Island Foods [28]
680 N. Lake Shore Dr., 312-664-0040,
www.tifoods.com

Succursale de ce que Julia Child, qui fit connaître les techniques de la cuisine française aux Américains dans les années 1960, décrivait comme «*the most European supermarket in America*» (le plus européen des supermarchés américains).

Cadeaux et souvenirs

Oh Yes Chicago! [26]
Navy Pier, 600 E. Grand Ave., rez-de-chaussée, 312-595-0020

Souvenirs de la Ville des Vents.

The Navy Pier Signature Store [27]
Navy Pier, 600 E. Grand Ave., rez-de-chaussée, 312-661-2141

Souvenirs de Chicago.

Jouets

Build-A-Bear Workshop [25]
Navy Pier, 700 E. Grand Ave., 312-832-0114, www.buildabear.com

Une boutique d'animaux en peluche qui sort de l'ordinaire. Vous y êtes invité à choisir les divers éléments avec lesquels sera confectionné votre ourson, toutou ou autre lapin. Votre compagnon sera ainsi bourré, habillé, coiffé et identifié sur place et, à la fin du processus, on vous remettra son certificat de naissance.

8

La Gold Coast

À voir, à faire
(voir carte p. 119)

La **Gold Coast** ★★ est un quartier situé grosso modo entre Oak Street au sud, le Lincoln Park au nord, le lac Michigan à l'est et Dearborn Parkway à l'ouest. On y trouve de splendides demeures et manoirs construits à la fin du XIXe siècle, alors que l'élite de Chicago entreprit de s'installer dans les parages. Le XXe siècle vit ensuite apparaître de luxueux immeubles résidentiels sur la Gold Coast, et ce, souvent au sacrifice de belles maisons victoriennes. En 1977 toutefois, tout le secteur a été classé arrondissement historique.

Nous sommes donc ici dans l'un des beaux quartiers de Chicago. Arpenter ses avenues bordées de belles maisons est en soi un bonheur pour les yeux. Mais ces rues aussi tranquilles que splendides ne sont jamais bien loin d'artères plus animées ni de leurs restaurants (Rush Street), de leurs grouillantes boîtes de nuit (Division Street) et de leurs boutiques chics (Oak Street).

Le circuit débute à l'angle d'Oak Street et de Michigan Avenue.

Oak Street ★ [1]
La très chic Oak Street possède un caractère bien à elle, qui la distingue clairement. Ainsi, sur ce petit bout de rue agréablement bordé d'arbres, vous dénicherez une incroyable série de boutiques de mode, de bijouteries et de galeries d'art.

Oak Street Beach [2]
Sise au pied de l'élégante Oak Street et à un jet de pierre du Hancock Center, du Drake Hotel et des boutiques du Magnificent Mile, l'Oak Street Beach mérite sans doute le titre de plus chic plage de Chicago. C'est aussi la plus aisément accessible depuis le centre-

La Gold Coast

La Gold Coast

Oak Street Beach.

ville, des passages souterrains, situés au bout des rues Oak et Division, permettant d'éviter la dense circulation de Lake Shore Drive et de l'atteindre en toute sécurité.

Poursuivez vers le nord dans Michigan Avenue, puis prenez Bellevue Place à gauche.

Bellevue Place ★ [3]
Il fait bon se promener sur cette jolie avenue bordée d'arbres où il est possible d'admirer de belles maisons comme la **Bryan Lathrop House** [4] *(120 E. Bellevue Pl.)*, aussi appelée **Forthnightly of Chicago**, une impressionnante résidence de style néogeorgien, et la **Lot P. Smith House** [5] *(32 E. Bellevue Pl.)*, construite par Burnham & Root en 1887.

Tournez à droite dans Rush Street, qui se fond presque aussitôt avec State Street. Prenez Division Street à droite, puis Astor Street à gauche.

Astor Street ★★ [6]
Vous remarquerez dans cette magnifique rue les **Renaissance Condominiums** [7] *(1200 N. Astor St.)*, dessinés par Holabird & Roche en 1897 et alliant les principes de l'«école de Chicago» aux formes propres à l'ère victorienne. Plusieurs autres demeures retiennent l'attention dans cette paisible rue, véritable havre de paix, pourtant pas si loin de l'animation de Rush Street. C'est par exemple le cas des bâtiments Art déco du **1260 N. Astor Street** [8] et du **1301 N. Astor Street** [9], ou encore des **James L. Houghteling Houses** [10] *(1308-1312 N. Astor St.)*, une belle rangée de maisons datant de 1887.

Remarquez aussi l'**Astor Court** [11] *(1355 N. Astor St.)*, un beau manoir georgien doté d'une porte cochère conduisant à un petit jardin avec fontaine.

Charnley-Persky House ★★ [12]

entrée libre mer à compter de 12h, 10$ sam 10h pour la visite guidée de la maison; 1365 N. Astor St., 312-573-1365, www.sah.org

Plus loin dans Astor Street, vous noterez l'habile composition de la Charnley-Persky House, conçue par Frank Lloyd Wright alors qu'il était encore à l'emploi d'Adler & Sullivan en 1892. On y reconnaît déjà des éléments qui feront la renommée de Wright : faible élévation, lignes horizontales, utilisation de la brique. Des visites guidées de la maison sont organisées par la Society of Architectural Historians (SAH).

Edward P. Russell House ★ [13]

1444 N. Astor St.

Cette autre construction Art déco se trouve entre les rues Schiller et Burton. Elle fut érigée selon les plans de Holabird & Root en 1929. Plus loin, au **1500 North Astor Street**, les architectes McKim, Mead & White élevèrent en 1893 une sorte d'exubérant palace au vocabulaire classique pour le compte de l'éditeur du *Chicago Tribune*, Joseph Medill.

Residence of the Roman Catholic Archbishop of Chicago ★ [14]

1555 N. State Pkwy.

À l'intersection d'Astor Street et de North Avenue, un bel espace vert entoure l'archevêché catholique de la ville. Cette résidence, la plus ancienne de la Gold Coast (1880), présente des formes relevant du style Queen Anne et compte pas moins de 19 cheminées.

Tournez à gauche dans North Avenue, puis revenez vers le sud par State Parkway.

State Parkway [15]

Le long de State Parkway, on remarque aussi quelques belles résidences, de même que d'élégants immeubles résidentiels comme le **1550 North State Parkway** [16], construit dans le style Beaux-Arts en 1912 par Benjamin Marshall. Parmi les belles maisons de cette artère figurent l'**Albert F. Madlener House ★** [17] *(4 W. Burton Pl.)*, dessinée par l'ar-

La Gold Coast

À voir, à faire ★

1.	CZ	Oak Street
2.	CY	Oak Street Beach
3.	CY	Bellevue Place
4.	CY	Bryan Lathrop House/ Forthnightly of Chicago
5.	BY	Lot P. Smith House
6.	BX	Astor Street
7.	BY	Renaissance Condominiums
8.	BX	1260 N. Astor Street
9.	BX	1301 N. Astor Street
10.	BX	James L. Houghteling Houses
11.	BX	Astor Court
12.	BX	Charnley-Persky House
13.	BW	Edward P. Russell House
14.	BW	Residence of the Roman Catholic Archbishop of Chicago
15.	BW	State Parkway
16.	BV	1550 North State Parkway
17.	BW	Albert F. Madlener House
18.	BX	1340 North State Parkway/ Playboy Mansion
19.	BX	Ancien Ambassador East
20.	BX	Ancien Ambassador West
21.	BX	Three Arts Club
22.	BX	Frank F. Fisher Apartments

Cafés et restos ●

23.	BY	Bistrot Zinc
24.	BY	Carmine's
25.	BY	Gibsons
26.	BY	Hugo's Frog Bar & Fish House
27.	BY	Lou Malnati's
28.	BY	Morton's, The Steakhouse
29.	AY	Table Fifty-Two
30.	BX	The 3rd Coast Cafe
31.	BY	The Original Pancake House
32.	BX	The Pump Room

Bars et boîtes de nuit ✦

33.	BY	Cedar Hotel
34.	BY	Dublin's Bar & Grill
35.	BY	The Original Mother's

Lèche-vitrine ■

36.	BZ	Agent Provocateur
37.	BY	Barnes & Noble
38.	BZ	Barneys New York
39.	BY	Eskandar
40.	BY	Flight 001
41.	BZ	Hermès
42.	BY	Jil Sander
43.	CZ	Lester Lampert
44.	BZ	Prada
45.	CY	Tessuti

Hébergement ▲

46.	AY	Gold Coast Guest House
47.	BX	Hotel Indigo
48.	BX	PUBLIC Chicago

La Gold Coast

chitecte de la Prairie School, Hugh Garden, et abritant aujourd'hui la Graham Foundation for Advanced Studies in the Fine Arts, ainsi que le **1340 North State Parkway** [18], mieux connu sous le nom de **Playboy Mansion** parce qu'il fut la propriété, dans les années 1960 et 1970, de Hugh Hefner, le fondateur du célèbre magazine érotique.

Puis, au coin de Goethe Street, se dresse l'ex-**Ambassador East** [19], devenu le luxueux hôtel **PUBLIC** *(1301 N. State Pkwy.)*, et en face se trouve l'ancien **Ambassador West** [20] *(1300 N. State Pkwy.)*, aujourd'hui reconverti en immeuble résidentiel.

The 3rd Coast Cafe.

Un coin de rue plus à l'ouest, à l'angle de Dearborn Parkway, le **Three Arts Club ★** [21] *(1300 N. Dearborn St.)*, de Holabird & Roche, est à signaler. Cet édifice en brique, généreusement ornementé et entouré d'un jardin, assurait le logement à des étudiantes.

De retour dans State Parkway, on voit près de Division Street les **Frank F. Fisher Apartments ★** [22] *(1207 N. State Pkwy.)*, répartis dans un immeuble moderne tout à fait surprenant. Ils furent construits en 1937 par Andrew N. Rebori.

Cafés et restos
(voir carte p. 119)

The Original Pancake House *$* [31]

tlj; 22 E. Bellevue Pl., 312-642-7917

Idéal pour un petit déjeuner gargantuesque. Pour trois fois rien, vous pourrez emmagasiner suffisamment de nourriture pour tenir pendant des jours... Crêpes, gaufres, œufs et omelettes, bacon, saucisses, etc. Les cartes de crédit ne sont pas acceptées.

The 3rd Coast Cafe *$* [30]

tlj 7h à 24h; 1260 N. Dearborn Pkwy., 312-649-0730

Le 3rd Coast Cafe est apprécié des jeunes intellectuels qui viennent y refaire le monde tout en y prenant le petit déjeuner. L'établissement, légendaire, est aménagé dans un local un peu caverneux qui cultive une ambiance bohème.

Lou Malnati's *$$* [27]

dim-jeu 11h à 24h, ven-sam 11h à 1h; 1120 N. State St., 312-725-7777

Chaîne locale reconnue pour la qualité de sa *deep-dish pizza*. Dans le cas de cette succursale, on parle

presque davantage d'un bar que d'un resto, avec ses écrans géants et son ambiance festive, sauf pour la partie arrière, plus calme.

Bistrot Zinc $$$ [23]

lun-jeu 11h30 à 22h, ven 11h30 à 23h, sam 10h à 23h, dim 10h à 21h; 1131 N. State St., 312-337-1131

Authentique brasserie française au cœur de la Gold Coast. Dans sa grande salle à manger animée et meublée de tables rondes et de chaises de bistro, on se croirait à Paris. Steak frites, croque-monsieur, crêpes, etc. Brunch le samedi et le dimanche.

Table Fifty-Two $$$ [29]

mar-sam 17h à 21h30, dim 10h30 à 20h30, lun fermé; 52 W. Elm St., 312-573-4000

Resto mené par Art Smith, autrefois chef personnel d'Oprah Winfrey. On s'y presse pour ses préparations inventives de mets typiques du sud des États-Unis : gaspacho cadien, gombo de poulet, crevettes et gruau. Réservations fortement recommandées.

Carmine's $$$$ [24]

lun-jeu 11h à 24h, ven 11h à 1h30, sam 9h à 1h30, dim 9h à 23h; 1043 N. Rush St., 312-988-7676

Resto de cuisine italienne où les fruits de mer sont à l'honneur. Fettucinis Alfredo garnis de crevettes et linguinis aux palourdes ne constituent que quelques exemples. Belle carte des vins et impressionnant choix de desserts. Grande terrasse, l'une des plus jolies en ville.

Gibsons $$$$ [25]

tlj 11h à 24h; 1028 N. Rush St., 312-266-8999

L'une des meilleures *steakhouses* en ville. Jadis temple branché, l'établissement accueille aujourd'hui une clientèle variée incluant des familles. L'ambiance surprend par

La Gold Coast

Vue aérienne de la Gold Coast.

sa chaleur, et le service, assuré par un personnel en veste blanche, s'avère fort sympathique.

Hugo's Frog Bar & Fish House $$$$ [26]
tlj 15h à 24h; 1024 N. Rush St., 312-640-0999
Ce resto propose poissons et fruits de mer dans une atmosphère ludique. Célèbres cuisses de grenouille. Pianiste de jazz ou de blues en vedette tous les vendredi et samedi soirs dès 17h.

Morton's, The Steakhouse $$$$ [28]
lun-sam 17h30 à 23h, dim 17h à 22h; 1050 N. State St., 312-266-4820
Grilladerie à l'élégant décor d'acajou. En plus des traditionnels filets de bœuf et surlonges de New York, il faut noter la présence au menu du homard du Maine et, en guise de dessert, du soufflé au Grand Marnier. Tenue de ville requise.

The Pump Room $$$$ [32]
lun-jeu 7h à 23h, ven 7h à 24h, sam 9h à 24h, dim 9h à 23h; PUBLIC Chicago, 1301 N. State Pkwy., 312-229-6740
Nouvelle incarnation du célèbre restaurant qu'abritait The Ambassador East, aujourd'hui devenu le **PUBLIC Chicago** (voir p. 178). Impressionnant décor contemporain des plus design. Concept culinaire «de la ferme à la table» élaboré par Jean-Georges Vongerichten. Excellent brunch les samedi et dimanche.

Bars et boîtes de nuit *(voir carte p. 119)*

Cedar Hotel [33]
dim-ven 11h à 2h, sam 11h à 3h; 1112 N. State St., 312-944-1112
Ce n'est pas un hôtel, mais bien un bar dont la vaste terrasse devient en

saison un *beer garden* qui déborde de joyeux amateurs de houblon.

Dublin's Bar & Grill [34]
tlj 11h à 4h; 1050 N. State St., 312-266-6340
Sorte de taverne irlandaise avec terrasse.

The Original Mother's [35]
dim-ven 20h à 4h, sam 20h à 5h; 26 W. Division St., 312-642-7251
Ce bar de rencontre mise tout sur le fait qu'on l'a utilisé lors du tournage du film *About Last Night*, une comédie d'intérêt limité qui avait au moins la qualité de mettre en vedette de jeunes acteurs aujourd'hui devenus de véritables stars: Demi Moore, Jim Belushi et Rob Lowe. Nombreux autres *singles bars* dans cette portion de Division Street.

Lèche-vitrine

(voir carte p. 119)

Articles de voyage

Flight 001 [40]
1133 N. State St., 312-944-1001, www.flight001.com
Accessoires de voyage, bagages et gadgets en tous genres sont proposés dans cette boutique décorée à la manière de… l'intérieur d'un avion.

Grand magasin

Barneys New York [38]
15 E. Oak St., 312-587-1700
Chic maison new-yorkaise proposant vêtements pour hommes et femmes, bijoux, chaussures haut de gamme.

Librairie

Barnes & Noble [37]
1130 N. State St., 312-280-8155
Succursale locale de la plus grande chaîne de librairies aux États-Unis.

Mode

Oak Street est considérée comme l'avenue de prestige de Chicago en ce qui a trait aux designers de mode. Parmi les plus belles boutiques qui y ont pignon sur rue, mentionnons **Agent Provocateur** [36] *(n° 47)*, **Hermès** [41] *(n° 25)*, **Lester Lampert** [43] *(n° 57)*, **Tessuti** [45] *(n° 50)*, **Eskandar** [39] *(n° 70)*, **Jil Sander** [42] *(n° 48)* et **Prada** [44] *(n° 30)*.

La Gold Coast

Le Lincoln Park

9 ↘

Le Lincoln Park

À voir, à faire
(voir carte p. 127)

Le **Lincoln Park** ★★ est cette longue bande verte qui s'allonge sur une dizaine de kilomètres en bordure du lac Michigan entre North Avenue au sud et Ardmore Street au nord. Ce parc, le plus grand de Chicago, fut aménagé entre 1865 et 1880. Alors que l'autre grand parc de Chicago, le Grant Park, tient de la manière française avec ses allées bien droites dessinant des espaces symétriques, le Lincoln Park emprunte davantage à la manière anglaise avec ses plans d'eau, ses sentiers sinueux et son respect de la configuration naturelle du site.

Ce splendide parc urbain est l'un des lieux de détente favoris des Chicagoens. Les familles viennent ici pour observer les animaux du jardin zoologique, les sportifs pour courir ou jouer au volley-ball, les amoureux pour s'étendre sur la pelouse ou se balader en canot sur un des plans d'eau, les aînés pour lire à l'ombre d'un grand arbre ou promener leur chien. On trouve de plus deux musées de grande qualité dans les limites du Lincoln Park : le Chicago History Museum et le Peggy Notebaert Nature Museum.

Nous vous proposons une balade dans ce magnifique espace vert débutant par une visite du musée de la Chicago Historical Society, situé à l'extrémité sud-ouest du parc.

Chicago History Museum ★★ [1]
14$, lun-sam 9h30 à 16h30, dim 12h à 17h; 1601 N. Clark St., 312-642-4600, www.chicagohistory.org

Ce musée est la plus ancienne institution culturelle de Chicago, d'abord connue sous le nom de Chicago Historical Society. Il fut fondé en 1856, puis occupa un premier bâtiment situé à l'angle des rues Dearborn et Ontario entre

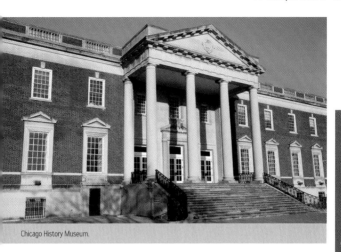

Chicago History Museum.

1868 et 1871. Un second édifice, qui abrite aujourd'hui le **Castle Entertainment Complex** (voir p. 99), fut construit sur ce même site après le Grand Incendie. Le bâtiment actuel fut quant à lui inauguré en 1932, puis agrandi considérablement en 1988. La façade du côté parc, créée dès 1932, emprunte au style Federal. Elle donne sur une jolie place qui cache des installations souterraines d'entreposage. Depuis la rue Clark, c'est le bâtiment annexe de la fin des années 1980 que l'on peut voir. Conçu par la firme Holabird & Root, il intègre ce qui est devenu l'entrée principale du musée.

La visite débute au rez-de-chaussée, où se trouve la **Costume and Textile Gallery**, réservée à des expositions temporaires alimentées par l'imposante collection de vêtements et tissus anciens du musée.

À l'arrière complètement, l'exposition permanente **Lincoln Treasures** présente de nombreux souvenirs du président Abraham Lincoln, dont le lit sur lequel il vécut ses derniers moments.

D'autres salles du rez-de-chaussée méritent le détour, comme le **Tawani Foundation Diorama Hall** ★, qui met en valeur une remarquable collection de dioramas. Ces reconstitutions miniatures réalisées il y a plus de 75 ans évoquent de façon fort réaliste divers épisodes de l'histoire de la ville: le Grand Incendie, la World's Columbian Exposition et autres.

À l'étage supérieur, l'exposition **Chicago: Crossroads of America** ★★ constitue la pièce maîtresse du musée. On y retrouve notamment la première locomotive utilisée à Chicago, avant

Le Lincoln Park

North Avenue Beach.

même que la ville ne devienne le point de rencontre de toutes les lignes ferroviaires du pays, de même qu'un des wagons du tout premier train aérien de Chicago, qui datent de l'époque de la *World's Columbian Exposition* de 1893. Tout autour, des photographies, tableaux, sculptures et manuscrits racontent l'évolution de la ville en s'attardant aux étapes marquantes de son développement.

Derrière le musée, une splendide allée fleurie mène au ***Standing Lincoln*** ★ [2], une remarquable statue élevée à la mémoire du président par le sculpteur Augustus Saint-Gaudens, celui-là même qui a réalisé *The Seated Lincoln* (voir p. 52) du Grant Park. Elle fut placée en 1887 sur une base monumentale conçue par McKim, Mead & White.

Dirigez-vous vers l'est et franchissez la passerelle qui enjambe Lake Shore Drive, afin de rejoindre la North Avenue Beach.

North Avenue Beach [3]

La North Avenue Beach attire de nombreux amateurs de volley-ball de plage. Plusieurs filets sont en effet tendus pour quiconque désire s'adonner à ce sport. Un étonnant bâtiment dont les lignes rappellent celles d'un navire abrite toilettes et restaurants. D'un kitsch tout à fait délicieux, il fut construit en 1999 en remplacement de l'ancienne North Avenue Beach House de 1939, dont il s'inspire largement. Il y a aussi un véritable club de gymnastique sur la plage même, avec poids, haltères et appareils d'exercices. La North Avenue Beach est par ailleurs reconnue comme le meilleur site d'observation lors de l'annuel **Chicago Air & Water Show**, un festival aérien et nautique qui se tient en août.

Le Lincoln Park

À voir, à faire ★

1. BZ Chicago History Museum
2. BZ *Standing Lincoln*
3. CZ North Avenue Beach
4. BZ Ulysses S. Grant Memorial
5. BZ South Pond/Nature Boardwalk
6. BZ Farm in the Zoo
7. BY Café Brauer
8. BY Lincoln Park Zoo
9. BY Lincoln Park Conservatory
10. BY Bates Fountain/*Storks at Play*
11. BY Peggy Notebaert Nature Museum/Judy Istock Butterfly Haven
12. BY *I Will*
13. BX Theater on the Lake

Cafés et restos ●

14. BY L2O
15. BY Mon Ami Gabi
16. BX North Pond
17. BY R.J. Grunts

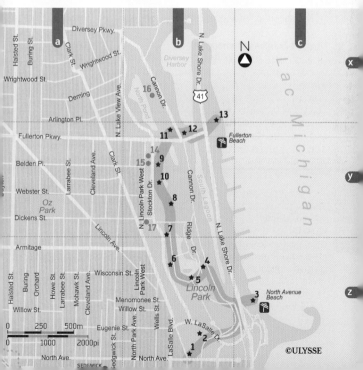

1. Ulysses S. Grant.
2. L'un des résidents du Lincoln Park Zoo.

Ulysses S. Grant Memorial ★ [4]
De retour dans le Lincoln Park, vous pourrez admirer ce spectaculaire monument élevé en 1891 en l'honneur de cet autre président des États-Unis, à l'est du South Pond, l'un des beaux étangs du parc. Pourquoi retrouve-t-on ce monument dans le Lincoln Park plutôt que dans le Grant Park? Voilà un mystère qui demeure sans réponse à ce jour...

Tout près, le pourtour du **South Pond**, l'un des étangs du parc, a été aménagé en une agréable promenade en planches avec stations d'information sur la flore et les oiseaux: le **Nature Boardwalk** ★★ [5].

Un petit pont permet de traverser de l'autre côté du South Pond tout en offrant une extraordinaire vue vers le sud, avec les gratte-ciel du centre-ville en arrière-plan. De ce côté de l'étang, vous apercevrez sur votre gauche la **Farm in the Zoo** ★ [6] *(tlj 10h à 17h)*, une véritable ferme invitant les enfants à se familiariser avec la vie rurale, et sur votre droite le **Café Brauer** ★ [7] *(2021 N. Stockton Dr.)*. Ce dernier, construit en 1908, fut rénové à grands frais en 1989. Il s'agit d'une brillante application de la Prairie School dans un cadre public. Le concepteur du Café Brauer fut d'ailleurs Dwight H. Perkins, l'une des figures dominantes de la Prairie School.

Lincoln Park Zoo ★★ [8]
entrée libre; avr à mai et sept à oct tlj 10h à 17h, juin à août lun-ven 10h à 17h, sam-dim 10h à 18h30; nov à mars tlj 10h à 16h30; 312-742-2000, www.lpzoo.com
Tout juste au nord s'étend ensuite le Lincoln Park Zoo, un jardin zoologique fort populaire dont l'accessibilité (situation près du centre-ville, accès gratuit) n'est pas la moindre

des qualités. Il est composé de plusieurs bâtiments élevés dans les années 1910 et 1920 qui sont autant de demeures pour les quelque 1 000 animaux vivant ici. Ces bâtiments anciens au charme certain, de même que de plus récentes constructions qui ont poussé au fil des ans sans pour autant nuire à l'unité d'ensemble, font en sorte que le jardin zoologique puisse demeurer ouvert toute l'année. Les animaux peuvent ainsi, la plupart du temps, évoluer aussi bien dans des enclos extérieurs attenants aux bâtiments que dans leurs quartiers intérieurs au gré des saisons.

Parmi les bâtiments les plus anciens figurent la **Lion House**, dessinée en 1912 par Dwight Perkins, la **Reptile House** (1923), la **Primate House** (1927) et la **McCormick Bird House**, qui, quant à elle, fut construite en 1900 selon les plans de Jarvis Hunt. Ne manquez pas également de visiter l'édifice moderne qui abrite le **Regenstein Center for African Apes**, afin d'y observer les grands gorilles et les habiles chimpanzés.

La partie sud du jardin zoologique comprend le **Waterfowl Lagoon**, le second étang du Lincoln Park. Il fut créé en 1865, soit dès la fondation du zoo. À l'extrême nord, la **Zoo Rookery**, aménagée autour d'un petit lac, est l'endroit idéal pour observer paisiblement les oiseaux migrateurs qui ne manquent pas d'y faire halte.

Lincoln Park Conservatory ★ [9]
entrée libre; tlj 9h à 17h; 2391 N. Stockton Dr., 312-742-7736
La sortie nord-ouest du zoo mène au Lincoln Park Conservatory, une sorte de «palais de verre» dont les impressionnantes serres furent

1. Lincoln Park Conservatory.
2. Le centre-ville depuis le Lincoln Park.

conçues en 1891 par Joseph Lyman Silsbee, qui s'inspira d'ailleurs du Crystal Palace de Londres. À l'intérieur, des aires accessibles au public présentent diverses expositions botaniques. Devant le Lincoln Park Conservatory s'étend un beau jardin à la française au centre duquel s'élève la **Bates Fountain** [10], aussi connue sous le nom de *Storks at Play*, réalisée en 1887 par Augustus Saint-Gaudens et Frederick William MacMonnies.

Traversez de l'autre côté de Fullerton Parkway.

Peggy Notebaert Nature Museum ★ [11]
9$; lun-ven 9h à 17h, sam-dim 10h à 17h; 2430 N. Cannon Dr., 733-755-5100, www.naturemuseum.org
À l'angle nord-ouest de Fullerton Parkway et de Cannon Drive, le Peggy Notebaert Nature Museum a ouvert ses portes à l'automne 1999. Il s'agit du premier musée à avoir été construit dans un des grands parcs de Chicago en quelque 60 ans. Parrainé par la Chicago Academy of Sciences, il propose des expositions qui abordent des thèmes divers reliés à l'environnement ainsi qu'au monde animal et végétal. La section la plus appréciée de l'institution est sans conteste le **Judy Istock Butterfly Haven** ★, où virevoltent des milliers de papillons colorés provenant du Midwest américain, mais aussi d'Amérique du Sud, d'Asie et d'Afrique.

Puis, à l'est de Cannon Drive, la sculpture moderne *I Will* [12], signée Ellsworth Kelly, rend hommage aux Chicagoens qui ont reconstruit la ville après le Grand Incendie et dont «*I will*» (Je ferai) était un des leitmotivs.

Le Lincoln Park

Poursuivez vers l'est jusqu'au bout de Fullerton Parkway.

Theater on the Lake [13]
angle Fullerton Pkwy. et Lake Shore Dr., 312-742-7994

Pour ceux que séduit une soirée de théâtre sous les étoiles, il y a le Theater on the Lake. D'une capacité de 380 personnes, ce théâtre en plein air du Lincoln Park propose chaque été huit *musicals* et autres comédies légères.

Cafés et restos

(voir carte p. 127)

R.J. Grunts *$$* [17]
lun-ven 11h30 à 24h, sam 10h à 24h, dim 10h à 21h; 2056 N. Lincoln Park West, 773-929-5363

Rendez-vous prisé des familles, à deux pas du Lincoln Park Zoo, et particulièrement réputé pour son chili et son impressionnant buffet de salades. L'établissement est resté figé dans les années 1970, comme en témoigne la musique ambiante. Brunch le dimanche.

Mon Ami Gabi *$$-$$$* [15]
lun-jeu 17h30 à 22h, ven-sam 17h à 23h, dim 17h à 21h; The Belden-Stratford Hotel, 2300 N. Lincoln Park West, 773-348-8886

Mon Ami Gabi a tous les airs d'un bistro parisien du début du XXe siècle. On y offre un choix de steaks frites (quatre préparations différentes), tous délicieux. Également au menu, poissons et fruits de mer. Bonne sélection de vins français. Terrasse en saison.

L20 *$$$$* [14]
lun et jeu 18h à 22h, ven 17h30 à 23h, sam 17h à 23h, dim 17h30 à 21h, mar-mer fermé; The Belden-Stratford Hotel, 2300 N. Lincoln Park West, 773-868-0002

Établissement chic et moderne qui propose un menu relevé de fruits de mer. Parmi ses nombreux délices, mentionnons le saumon de rivière assaisonné d'épices nord-africaines et le homard «sauce américaine». Belle sélection de vins. Tenue de ville recommandée.

North Pond *$$$$* [16]
mar-sam 17h30 à 22h, dim 10h30 à 22h, lun fermé; 2610 N. Cannon Dr., 773-477-5845

Le secret du chef réside ici dans l'utilisation de produits cultivés par de petites fermes biologiques. Aménagé dans un ancien bâtiment *Arts and Crafts* qui servait d'abri aux patineurs, le resto s'intègre parfaitement à son cadre champêtre. Brunch le dimanche.

Le Lincoln Park

10 ↘

Hyde Park

À voir, à faire
(voir carte p. 135)

La ville de Hyde Park fut fondée en 1852, puis annexée à Chicago dès 1889. Le quartier de **Hyde Park** ★★★ ainsi créé est situé dans la partie méridionale de Chicago. Il est habité par une population multiethnique appartenant à la classe moyenne, ce qui en fait un secteur sûr que l'on peut visiter sans aucune crainte.

On peut se rendre dans cette partie de la ville à l'aide des transports en commun. Les bus 6 et 10, par exemple, vous conduiront du centre-ville jusqu'aux environs du Jackson Park et du Museum of Science and Industry. Il est aussi possible d'utiliser le train de banlieue (Metra), dont la station 55th/56th/57th Street de l'Electric Line se trouve à quelques rues à l'ouest du Museum of Science and Industry et à distance de marche des principaux bâtiments de l'University of Chicago.

Le circuit débute dans le Jackson Park.

Jackson Park ★★ [1]
bordé par 67th St. au sud, 56th St. au nord, le lac Michigan à l'est et Stony Island Ave. à l'ouest

Le Jackson Park fut créé en 1871 par Frederick Law Olmsted et Calvert Vaux. En 1890, Olmsted, créateur du Central Park de New York et du parc du Mont-Royal de Montréal, fut appelé à élaborer le réaménagement du Jackson Park en vue de la tenue de la *World's Columbian Exposition* de 1893. Il imagina alors un cadre enchanteur composé de plans d'eau (bassins, lagons, canaux) sur lequel Daniel Burnham posa sa célèbre *White City*. Une fois la foire terminée, le parc fut à nouveau remodelé par la firme Olms-

Museum of Science and Industry.

Hyde Park

ted, Olmsted & Eliot, si bien qu'il ne reste plus aujourd'hui que quelques vestiges témoignant de l'exposition universelle de 1893. Parmi ceux-ci, il y a l'**Osaka Garden** ★[2], ce splendide jardin japonais aménagé sur la **Wooded Island**, ainsi que la sculpture *The Republic*, de Daniel Chester French.

Museum of Science and Industry ★★★ [3]

18$ pour l'entrée seulement, plusieurs options entre 27$ et 36$ incluant le cinéma Omnimax et des expositions temporaires ou spécifiques; tlj 9h30 à 16h; angle 57th St. et Lake Shore Dr., 773-684-1414, www.msichicago.org

Un autre vestige de la *World's Columbian Exposition* est l'ancien Palace of Fine Arts, devenu le Museum of Science and Industry, qui s'allonge avec élégance au bord du **Columbian Basin** ★[4], lui-même conçu après l'exposition en 1895. Charles B. Atwood, de la firme de Daniel H. Burnham, élabora les plans de ce monumental bâtiment. Avec son grand dôme et sa longue colonnade ionique comprenant 276 colonnes, l'ancien Palace of Fine Arts donne une bonne idée de ce à quoi ressemblait la *White City* néo-classique imaginée par Burnham pour l'exposition universelle.

Le Museum of Science and Industry propose une série d'expositions explorant les différentes facettes du monde des sciences. On y pénètre par l'arrière où est située l'entrée nord du bâtiment. Les guichets se trouvent au niveau inférieur, dans l'Entry Hall.

Immédiatement au-dessus, le *Lower Level 1* accueille des expositions diverses (voitures anciennes, architecture et autres), en plus

La World's Columbian Exposition

En 1893, soit à peine plus de 20 ans après le Grand Incendie qui ravagea la ville en 1871, Chicago se permet le luxe d'inviter 26 millions de personnes à visiter la *World's Columbian Exposition*, qui commémore le 400ᵉ anniversaire de la découverte de l'Amérique par Christophe Colomb.

L'exposition universelle se tient alors dans le Jackson Park du South Side. L'architecte Daniel H. Burnham élabore pour l'occasion les plans spectaculaires d'une splendide *White City* aux accents Beaux-Arts. Ce choix de Burnham d'emprunter aux styles anciens est alors fortement contesté par plusieurs de ses collègues architectes, qui voyaient plutôt en cette exposition une extraordinaire opportunité de promouvoir l'«école de Chicago», soit une architecture moderne résolument américaine.

de donner accès à une section du musée construite sur mesure afin d'abriter un authentique **sous-marin allemand U–505** ★★★. Capturé au cours de la Seconde Guerre mondiale, le sous-marin est ici présenté dans une mise en scène spectaculaire. Dans les premières salles, on explique d'abord l'opération qui a mené à la capture du vaisseau. Puis les visiteurs accèdent enfin à la salle où se trouve l'immense sous-marin dont il est possible de visiter l'intérieur moyennant un supplément *(adultes 9$, enfants 7$)*.

Également accessible à ce niveau du musée, le **Henry Crown Space Center** ★★ présente diverses capsules spatiales, une reproduction d'un module lunaire ainsi qu'un cinéma Omnimax.

À l'étage suivant, dénommé le *Main Level 2*, la **Transportation Gallery** ★★ attire à coup sûr l'attention avec ses locomotives, ses camions et ses avions, parmi lesquels figure un véritable Boeing 727 (!). Une grande maquette du Loop et du West Loop est aussi à signaler dans cette portion du musée. Elle montre les divers réseaux de transport (métro aérien, voies ferrées) qui desservent la ville et qui permettent de la relier à la Côte Ouest, jusqu'à Seattle, également reproduite en maquette.

Hyde Park

À voir, à faire ★

1. BY Jackson Park
2. BY Osaka Garden/Wooded Island/ *The Republic*
3. CY Museum of Science and Industry
4. CY Columbian Basin
5. BY Midway Plaisance
6. BX, BY Statue de St. Wenceslaus/ *Fountain of Time*
7. BX University of Chicago
8. AZ William Rainey Harper Memorial Library
9. AZ Rockefeller Memorial Chapel
10. BZ Robie House
11. AZ Oriental Institute Museum
12. AZ Tower Group
13. AZ Cobb Gate
14. AY *Nuclear Energy*
15. AY Smart Museum of Art
16. AZ Cobb Lecture Hall
17. AZ Joseph Bond Chapel
18. BX Washington Park
19. BX DuSable Museum of African-American History

Cafés et restos ●

20. BX La Petite Folie
21. BZ Noodles etc. on Campus

Bars et boîtes de nuit ☽

22. AY Woodlawn Tap

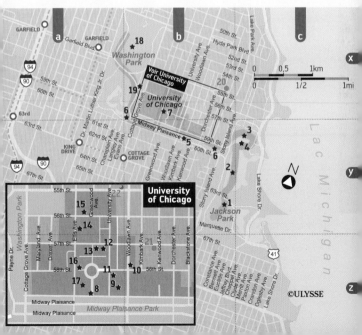

©ULYSSE

Hyde Park

Quant à l'exposition permanente *Science Storms*, inaugurée au printemps 2010, elle s'étend sur deux étages (*Main Level 2* et *Balcony Level 3*). On y rend compte de façon interactive de l'avancement des sciences dans la compréhension de phénomènes naturels divers tels que les tornades, la foudre, les tsunamis et les avalanches.

Empruntez la Midway Plaisance vers l'ouest.

Midway Plaisance ★★ [5]

Cette grande avenue bordée d'arbres et comportant une belle et large bande médiane gazonnée relie majestueusement le Jackson Park au Washington Park. C'est ici que la première grande roue fut installée, avec plusieurs autres manèges, lors de l'exposition de 1893. Frederick Law Olmsted avait ensuite imaginé de transformer la bande médiane de la Midway Plaisance en un canal joignant les plans d'eau des deux parcs, projet qui ne fut jamais réalisé. Au lieu de cela, l'avenue est devenue une voie de prestige entre deux beaux parcs urbains et joue un rôle important dans la mise en évidence des bâtiments néogothiques de l'University of Chicago qui la bordent au nord.

Deux sculptures monumentales dominent les extrémités de la Midway Plaisance. Ainsi, à l'est, on aperçoit d'abord une **statue de St. Wenceslaus** [6], réalisée par Albin Polasek. Puis, tout au bout, à l'entrée du Washington Park, a été installé en 1922 le chef-d'œuvre de Lorado Taft, la *Fountain of Time* ★★. Cette extravagante allégorie sur le thème du temps met

1. *Fountain of Time.*
2. *University of Chicago.*

en scène une foule prenant l'allure d'une vague qui passe son chemin. Il fallut 14 ans pour terminer ce monument d'acier et de béton qui fait 33 m de long.

University of Chicago ★★★ [7]

Une balade sur le campus de la prestigieuse University of Chicago, qui s'étend au nord de la Midway Plaisance, à peu près à mi-chemin entre le Jackson Park et le Washington Park, s'avère tout à fait incontournable. L'université fut fondée en 1890 par l'American Baptist Educational Society et le magnat du pétrole John D. Rockefeller, puis construite sur des terrains offerts par Marshall Field.

Ce sont d'abord les majestueuses façades néogothiques donnant sur la Midway Plaisance qui vous séduiront. Il s'agit des bâtiments les plus anciens du campus, que dessina Henry Ives Cobb entre 1891 et 1900. Ils forment six quadrilatères, chacun entourant un jardin central. Trois de ceux-ci se trouvent au sud, aux abords de la Midway Plaisance, et trois autres au nord. Un parc central qui s'étend entre les avenues University et Ellis sépare les deux concentrations de bâtiments. Autour de ce noyau se sont ajoutés au fil des ans de nombreux autres édifices universitaires, plusieurs arborant aussi le style néogothique.

La plus imposante des constructions, que l'on aperçoit depuis la Midway Plaisance, avec ses deux massives tours carrées, est la **William Rainey Harper Memorial Library** ★[8] *(1116 E. 59th St.)*. Elle fut terminée en 1912.

À l'est d'University Avenue se trouve un autre bâtiment qui attire

Hyde Park

1. Rockefeller Memorial Chapel.
2. Robie House.

le regard à coup sûr. Il s'agit de la **Rockefeller Memorial Chapel** ★[9] *(5850 S. Woodlawn Ave., 773-702-2100)*, élevée entre 1925 et 1928. Sa belle tour néogothique domine les environs du haut de ses 62 m. Des concerts et récitals y sont régulièrement présentés.

Dirigez-vous vers le nord sur Woodlawn Avenue.

Robie House ★★ [10]
15$; visites guidées jeu-lun 10h30 à 15h;
5757 S. Woodlawn Ave., 708-848-1976,
www.wrightplus.org

Cette demeure est considérée comme l'un des chefs-d'œuvre de Frank Lloyd Wright. Le grand architecte effectua les plans de cette résidence entre 1906 et 1909 pour le compte de Frederick C. Robie, un fabricant de vélos et de motocyclettes. Il s'agit là d'une *Prairie House* construite de la plus parfaite façon que l'on puisse imaginer. Vous apprécierez tout particulièrement la composition horizontale de l'ensemble, typique de la Prairie School, renforcée par l'utilisation de briques longues et minces. Le somptueux intérieur, illuminé au moyen de hautes fenêtres et d'élégantes lampes en forme de globes, compte peu de cloisons. Wright dessina aussi toutes les pièces du mobilier et en fit lui-même la décoration.

Prenez 58th Street vers l'ouest.

Oriental Institute Museum ★★ [11]
entrée libre; mar et jeu-sam 10h à 18h, mer 10h à 20h30, dim 12h à 18h, lun fermé;
1155 E. 58th St., 773-702-9520,
http://oi.uchicago.edu

L'Oriental Institute Museum, installé dans un bel édifice Art déco datant de 1931, a été entièrement rénové ces dernières années. Ce musée remarquable se consacre à l'art et à l'histoire du Proche-Orient. Il renferme d'innombrables trésors recueillis lors de fouilles archéologiques dans des pays comme l'Égypte, l'Iran, l'Irak, Israël, le Soudan, la Syrie et la Turquie. Parmi ceux-là figurent quelques pièces monumentales qui valent à elles seules la visite : portions d'un **temple assyrien** mis au jour en Irak, **statue du roi Toutankhamon** haute de 5 m et **momies d'Égypte**, splendides **sculptures perses** découvertes en Iran.

Tournez à droite dans University Avenue, puis à gauche dans 57th Street.

Tower Group ★ [12]

Ce remarquable ensemble d'édifices (1903) marque l'angle nord-est du campus original. On y retrouve la Mitchell Tower, le Hutchison Hall (un ancien réfectoire), le Reynold's Club (un cercle universitaire) et le Leon Mandel Assembly Hall (un amphithéâtre).

Un peu plus loin, vous ne pourrez manquer les extravagantes gargouilles de la monumentale **Cobb Gate ★** [13], qui marque l'entrée conduisant à la cour centrale du campus original. Ce portail fut élaboré en 1900 par Henry Ives Cobb, qui en fit don à l'université.

Tournez à droite dans Ellis Avenue.

Nuclear Energy [14]

Cette impressionnante sculpture de Henry Moore fut réalisée en 1967. Elle rend hommage au scientifique Enrico Fermi et à son équipe, qui conçurent ici en 1942 le réacteur nucléaire permettant de provoquer la première réaction nucléaire en chaîne contrôlée. Cet exploit historique mena à la production de la première bombe atomique en 1945.

Tournez à droite dans 56th Street.

Smart Museum of Art ★ [15]

entrée libre ; mar-mer et ven-dim 10h à 17h, jeu 10h à 20h, lun fermé ; 5550 S. Greenwood Ave., 773-702-0200,
www.smartmuseum.uchicago.edu

Ce petit musée se targue de posséder quelque 10 000 objets couvrant 3 000 ans d'histoire. En termes d'œuvres exposées, cela se traduit la plupart du temps en un résul-

Hyde Park

tat pour le moins hétéroclite où peuvent cohabiter le mobilier de salle à manger original dessiné par Frank Lloyd Wright pour la Robie House, des installations multimédias contemporaines et des objets très anciens révélés par des fouilles archéologiques menées en Corée.

Revenez ensuite vers la Midway Plaisance par Ellis Avenue.

Cobb Lecture Hall ★ [16]
5811-5827 S. Ellis Ave.

Ce bâtiment fut le premier de l'université à voir le jour, en 1892, selon les plans de Henry Ives Cobb. Contrairement à ce que l'on pourrait croire, il fut nommé ainsi en l'honneur de Silas B. Cobb, l'un des donateurs ayant permis la création

de l'université, et non afin d'assurer le souvenir de son architecte.

Non loin de là, la **Joseph Bond Chapel** ★ [17] est également à signaler, notamment pour son intérieur intimiste garni de sculptures en bois et de beaux vitraux. Elle fut érigée en 1926 selon les plans de Coolidge & Hodgdon.

Revenez ensuite sur la Midway Plaisance et poursuivez votre route vers l'ouest.

Washington Park ★ [18]

Frederick Law Olmsted et Calvert Vaux dessinèrent les plans de ce parc en 1871. Alors que la moitié nord du parc a conservé son allure de pré originelle, la section sud s'est vu ajouter un agréable plan d'eau qu'un canal, suivant le tracé de l'actuelle Midway Plaisance, devait relier à l'un des étangs du Jackson Park.

DuSable Museum of African-American History ★ [19]
10$, dim entrée libre; mar-sam 10h à 17h, dim 12h à 17h, lun fermé; 740 E. 56th Pl., 773-947-0600, www.dusablemuseum.org

Situé à l'intérieur même des limites du Washington Park, ce musée propose une vitrine sur l'art et l'histoire de la communauté afro-américaine. Ainsi, des expositions rendent hommage à certains héros noirs, tel le boxeur Joe Louis ou l'ex-maire de Chicago Harold Washington. D'autres évoquent l'époque de l'esclavage ou la lutte des années 1960

1. Cobb Lecture Hall.
2. Joseph Bond Chapel.

pour les droits civiques. D'autres encore présentent les œuvres d'artistes afro-américains. Le musée porte le nom de Jean Baptiste Pointe DuSable, un mulâtre haïtien considéré comme le fondateur de Chicago.

Cafés et restos
(voir carte p. 135)

Noodles etc. on Campus $ [21]
lun-sam 11h à 22h, dim 11h30 à 21h30; 1333 E. 57th St., 773-684-2801

Dans une salle sans décor, mais baignée de lumière naturelle, s'entassent les étudiants du campus de l'University of Chicago pour s'offrir un bol de nouilles, proposées en de nombreuses variétés, ou d'autres spécialités asiatiques à petits prix.

La Petite Folie $$$ [20]
mar-ven 11h30 jusqu'au soir, sam-dim le soir seulement, lun fermé; Hyde Park Shopping Center, 1504 E. 55th St., 773-493-1394

Petit bistro français qui compte sans conteste parmi les meilleures adresses de cette partie de la ville. Classiques de la cuisine de l'Hexagone à prix relativement raisonnables.

Bars et boîtes de nuit *(voir carte p. 135)*

Woodlawn Tap [22]
lun-ven 10h30 à 2h, sam 11h à 3h, dim 11h à 2h; 1172 E. 55th St., 773-643-5516

L'un des refuges favoris des étudiants de l'University of Chicago, ce petit bar chaleureux est toujours surnommé *Jimmy's* par ses habitués, du nom d'un barman y ayant travaillé pendant des décennies.

Hyde Park

11 ↘

Ailleurs à Chicago

Old Town Triangle ★

À voir, à faire

L'Old Town, comme son nom l'indique, est considérée comme le quartier historique de Chicago. Elle est délimitée grosso modo par North Avenue au sud, le Lincoln Park à l'est, Armitage Avenue au nord et Cleveland Avenue à l'ouest. On va se balader dans ce quartier pour y faire un voyage dans le temps (jolis cottages et maisons en rangée datant du XIXe siècle), mais aussi pour rigoler dans l'un de ses légendaires *comedy clubs* ou déguster une bière dans l'une de ses sympathiques microbrasseries.

Midwest Buddhist Temple
435 W. Menomonee St.

Ce temple, posé sur un joli parc, arbore des formes rappelant une pagode japonaise. Érigé en 1971 par Hideaki Arao, il propose un cadre particulier, comme hors du temps...

St. Michael's Church ★
447 W. Eugenie St.

C'est la communauté catholique allemande du milieu du XIXe siècle qui fonda la paroisse de St. Michael en 1852. L'église actuelle, qui donne sur une sympathique petite place, est la troisième à avoir été érigée ici. Elle fut reconstruite en moins d'un an sur les restes de la seconde après le Grand Incendie de 1871. Le clocher fut quant à lui ajouté en 1888, et la statue ornant la façade et montrant un saint Michel vainqueur de Lucifer ne fut placée qu'en 1913. L'intérieur, à la décoration d'inspiration bavaroise, mérite un coup d'œil.

Cafés et restos

Goose Island Brewery $$
dim-jeu 11h à 1h, ven-sam 11h à 2h; 1800 N. Clybourn Ave., 312-915-0071

À la Goose Island Brewery, on peut ne s'arrêter que le temps de goûter une des bières maison. Mais on peut aussi y prendre un bon repas. Les côtes levées sont ici particulièrement appréciées, de même que les nombreuses variétés de sandwichs.

Bars et boîtes de nuit

Old Town Ale House
lun-ven 15h à 4h, sam 12h à 5h, dim 12h à 4h; 219 W. North Ave., 312-944-7020, www.theoldtownalehouse.com

Ce pub expose une étonnante collection de 200 tableaux naïfs signés Bruce Elliott. En 2008, l'une de ces œuvres a attiré l'attention des médias de tout le pays. On y voit Sarah Palin, alors candidate à la vice-présidence, vêtue de ses seules lunettes et chaussures…

Salles de spectacle

The Second City
droit d'entrée; 1616 N. Wells St., 312-337-3992, www.secondcity.com

Ce célébrissime *comedy club* fondé en 1959 a acquis une réputation quasi internationale alors qu'y sont passés les plus brillants comédiens nord-américains d'expression anglaise: John Belushi, Bill Murray, Dan Aykroyd, Mike Myers, John Candy, etc. Le théâtre possède aujourd'hui sa propre troupe composée de jeunes humoristes qui se livrent à des matchs d'improvisation à chacune des représentations.

Zanie's
droit d'entrée; 1548 N. Wells St., 312-337-4027, www.zanies.com

Le plus ancien des «cabarets d'humour» de Chicago, l'un des pionniers dans ce qui, au fil des ans, est deve-

The Second City.

nu ici une grande tradition. L'endroit se targue d'avoir entre autres lancé les carrières de Tim Allen, Jay Leno, Drew Carey et Jerry Seinfeld.

Les quartiers de Lincoln Park, Lakeview et Wrigleyville ★

À voir, à faire

Le quartier de **Lincoln Park** s'étend à l'ouest du parc portant le même nom, entre Armitage Avenue et Diversey Parkway. On y trouve de belles maisons (le long de Fullerton Parkway par exemple), des rues bordées de boutiques ou encore de boîtes de nuit (Halsted Street et Lincoln Avenue notamment), de même que le campus de la **DePaul University** ★ *(bordé par Clifton Ave. à l'ouest, Halsted St. à l'est, Webster Ave. au sud et Fullerton Ave. au nord).*

Ailleurs à Chicago

Elks Veterans Memorial.

Biograph Theater
2433 N. Lincoln Ave.

Cette ancienne salle de cinéma constitue une sorte de «lieu historique» puisque c'est à sa sortie que fut abattu par les agents du FBI le gangster John Dillinger, le 22 juillet 1934. Dillinger était alors considéré comme «l'ennemi public numéro un». En 2004, la troupe du Victory Gardens Theater s'est portée acquéreur de l'ex-palace de cinéma et l'a reconverti en une salle de théâtre.

Elks National Veterans Memorial ★
entrée libre; avr à nov lun-ven 9h à 17h, sam-dim 10h à 17h; le reste de l'année fermé; 2750 N. Lakeview Ave., 773-755-4700, www.elks.org

Cet impressionnant monument, élevé en 1926 à la mémoire des membres de cette fraternité morts au combat lors de la Première Guerre mondiale et de conflits subséquents, prend la forme d'un vaste bâtiment circulaire entouré de colonnes et surmonté d'un dôme. L'intérieur mérite une petite visite afin d'en admirer les nombreuses peintures murales.

Au nord de Diversey Parkway, le quartier de **Lakeview** s'étend jusqu'à Irving Park Road. C'est là que se trouve le quartier gay de Chicago, **Boystown**, que l'on peut grossièrement situé dans le secteur délimité par Belmont Avenue au sud, Addison Street au nord, Halsted Street à l'ouest et Broadway Street à l'est.

Wrigley Field ★
1060 W. Addison St.

Le quartier de Lakeview englobe le secteur baptisé **Wrigleyville**, situé aux environs du fameux stade de baseball Wrigley Field. Assister à

Ailleurs à Chicago

Wrigley Field.

un match des Cubs au Wrigley Field, l'un des plus vieux stades des ligues majeures de baseball, est une expérience extraordinaire, une espèce de voyage dans le temps vous ramenant plus de 60 ans en arrière. Les clôtures du champ extérieur couvertes de vignes, son tableau indicateur actionné manuellement, le vent qui transforme de petits ballons en coups de circuit et l'exubérance débridée des fans rendent ce stade complètement irrésistible. Il fut construit en 1914, et ce n'est qu'en 1988 qu'ont été installés des projecteurs permettant la présentation de matchs en soirée. Les matchs des Cubs ont lieu du mois d'avril au mois d'octobre *(773-404-2827 pour information générale, 800-THE-CUBS pour la réservation de places par Ticketmaster, www.cubs.com)*.

Graceland Cemetery ★★
tlj 8h à 16h30; bordé par Irving Park Rd., Montrose Ave., Clark St. et Seminary Ave., 773-525-1105, www.gracelandcemetery.org

Une promenade dans les belles allées de ce magnifique cimetière vous permettra de vous détendre quelque peu hors du temps. Vous pourrez aussi essayer de repérer les tombes de Chicagoens célèbres, comme Marshall Field, Daniel Burnham, George Pullman et Potter Palmer. Pour ce faire, procurez-vous le plan du cimetière à l'entrée.

Cafés et restos

Ann Sather $$
lun-ven 7h à 15h, sam-dim 7h à 16h; 909 W. Belmont Ave., 773-348-2378

Ce resto a été fondé dans les années 1940, alors qu'une importante population scandinave résidait dans le quartier. Saucisses aux pommes de terre et gaufres suédoises au petit déjeuner; saumon ou assiette de boulettes de viande suédoises au déjeuner.

The Chicago Diner $$
lun-jeu 11h à 22h, ven 11h à 23h, sam 10h à 23h, dim 10h à 22h; 3411 N. Halsted St., 773-935-6696

The Chicago Diner se spécialise dans la cuisine végétarienne. Il a d'ailleurs acquis toute une réputation au fil des ans avec ses préparations simples mais savoureuses de végéburgers et de *tofu cheesecakes* (gâteaux «au fromage» au tofu).

Alinea $$$$
mer-dim 17h30 à 21h30, lun-mar fermé; 1723 N. Halsted St., 312-867-0110

L'Alinea propose des menus dégustation de 12 ou 23 (!) services, coûteux certes, mais qui permettent de ne rien manquer des imaginatives et audacieuses préparations du jeune chef Grant Achatz, grand prêtre de la cuisine moléculaire. Réservations indispensables.

Bars et boîtes de nuit

Kingston Mines
droit d'entrée; lun-jeu 20h à 4h, ven 19h à 4h, sam 19h à 5h, dim 18h à 4h; 2548 N. Halsted St., 773-477-4646, www.kingstonmines.com

Réputé bar de blues où se produisent des musiciens dont certains comptent parmi les mieux cotés. Il convient toutefois de mentionner que l'établissement n'a rien de chic et que, à dire vrai, il ne paie vraiment pas de mine… Le personnel peut aussi parfois se montrer bourru.

B.L.U.E.S.
droit d'entrée; dim-ven 20h à 2h, sam 20h à 3h; 2519 N. Halsted St., 773-528-1012, www.chicagobluesbar.com

De l'autre côté de la rue, le B.L.U.E.S. livre une lutte acharnée au Kingston Mines pour attirer les amateurs de *Chicago blues*. Plus petit et plus surchauffé que son voisin, le B.L.U.E.S. reçoit lui aussi chaque soir d'excellents musiciens.

The Cubby Bear
droit d'entrée en soirée; jours de match au Wrigley Field dim-ven 10h à 2h, sam 9h à 3h, sinon mer-ven et dim 11h à 2h, sam 11h à 3h; 1059 W. Addison St., 773-327-1662, www.cubbybear.com

Directement en face du Wrigley Field, là où jouent les Cubs de la Ligue nationale de baseball. Ce bar attire, les jours de match, une foule de sportifs venus espérer une victoire de leurs favoris. Concerts rock ou folk en fin de soirée les vendredis et samedis.

Wild Hare
mar-ven et dim 17h à 2h, sam 17h à 3h; 2610 N. Halsted St., 773-770-3511, www.wildharemusic.com

Boîte de reggae très courue tout récemment déménagée dans de nouveaux locaux. Bières et rhums jamaïcains.

Ailleurs à Chicago

Ailleurs à Chicago

La scène gay

Chicago possède une importante et dynamique communauté gay. Aussi retrouve-t-on plusieurs établissements destinés à la clientèle homo-sexuelle, situés principalement le long des rues Halsted et Clark entre Belmont Avenue et Addison Street, dans un secteur baptisé «New Town» et surnommé «Boystown». Un peu plus au nord, le quartier d'Andersonville est également habité par une importante communauté gay, et ce, depuis le début des années 1990, alors que la gent lesbienne s'y était d'abord établie. Clark Street se veut l'épine dorsale du quartier.

Quelques bars

Roscoe's
lun-ven 16h à 2h, sam 14h à 3h, dim 13h à 2h; 3356 N. Halsted St., 773-281-3355, www.roscoes.com
Parmi les bars gays les plus populaires, mentionnons le Roscoe's, qui compte une petite piste de danse à l'arrière, bizarrement installée près des tables de billard, de même qu'une agréable terrasse.

Berlin
droit d'entrée; dim et mar 22h à 4h, mer-ven 17h à 4h, sam 17h à 5h, lun fermé; 954 W. Belmont Ave., 773-348-4975, www.berlinchicago.com
Sur Belmont Avenue se dresse le Berlin, l'un des premiers bars gays à avoir vu le jour dans les parages. Hommes et femmes s'y retrouvent. Petite piste de danse.

Big Chicks
5024 N. Sheridan Rd., 773-728-5511, www.bigchicks.com
Le Big Chicks, avec son beau décor aux accents Art déco, constitue un bon endroit où faire la connaissance des membres de la communauté gay locale. Clientèle dans la trentaine et la quarantaine.

The Closet
lun-ven 16h à 4h, sam 12h à 5h, dim 12h à 4h; 3325 N. Broadway St., 773-477-8533, www.theclosetchicago.com
The Closet est un *video bar* qui s'adresse aux lesbiennes, mais où les homosexuels sont également assez nombreux.

S.R. Crown Hall, Illinois Institute of Technology.

Le South Side ★

À voir, à faire

**Illinois Institute
of Technology ★**
bordé à l'ouest par Dan Ryan Expressway, à l'est par Michigan Ave., au sud par 35th St. et au nord par 30th St.

Ludwig Mies van der Rohe fut le concepteur de l'Illinois Institute of Technology, dont la construction s'échelonna entre 1939 et 1958. Il s'agissait du premier mandat à lui être confié aux États-Unis. Le bâtiment le plus intéressant du campus originel est sans conteste le **S.R. Crown Hall ★** *(3360 S. State St.)*, terminé en 1956 selon les plans du maître. Il s'agit d'un édifice de verre donnant l'impression d'être transparent et dont la structure d'acier est apparente.

En 1996, le petit-fils de Mies van der Rohe, Dirk Lohan, réalisa un nouveau plan directeur prévoyant la restauration des bâtiments originaux du campus et l'ajout de nouveaux. C'est ainsi que vit le jour en 2003 le **McCormick Tribune Campus Center ★** *(3201 S. State St.)*, dessiné par l'architecte néerlandais Rem Koolhaas. Cet immeuble est surmonté d'un spectaculaire tube acoustique d'acier de 160 m de long, dans lequel s'engouffre le métro aérien. Le maître du postmodernisme Helmut Jahn s'est aussi impliqué en signant le **State Street Village**, une résidence étudiante longiligne de verre et d'acier. À noter que des **tours guidés** *(10$; lun-ven 10h, sam-dim 10h30; 312-567-7146, www.mies.iit.edu)* du campus sont proposés au départ du McCormick Tribune Campus Center.

Ailleurs à Chicago

1. McCormick Tribune Campus Center.

2. Chinatown.

Prairie Avenue Historic District ★

délimité par Cullerton St. au sud, 18th St. au nord, Indiana Ave. à l'ouest et S. Calumet Ave. à l'est

Entre 1870 et 1900, de nombreux marchands et chevaliers de l'industrie s'étaient établis dans ce secteur du South Side. Parmi ceux-ci, il y avait Marshall Field, George Pullman et John Glessner, pour n'en nommer que quelques-uns. Le quartier connut un important déclin au début du XXe siècle, et plusieurs de ses belles demeures tombèrent sous le pic des démolisseurs. Quelques-unes ont pourtant survécu, comme l'exceptionnelle **Glessner House ★★** *(1800 S. Prairie Ave., 312-326-1480, www. glessnerhouse.org)*, œuvre du grand architecte Henry Hobson Richardson. Une autre magnifique maison de cette glorieuse époque mérite aussi un coup d'œil: la **Clarke House** *(1827 S. Indiana Ave., www.clarkehousemuseum.org)*. Construite en 1836, cette demeure est le plus vieux bâtiment de Chicago. Des visites guidées de ces deux maisons sont organisées régulièrement *(10$ pour chacune ou 15$ pour les deux; mer-dim 12h à 14h; 312-326-1480)*.

Chess Records Studios

2120 S. Michigan Ave., 312-808-1286

C'est à cette adresse, rendue célèbre par une chanson des Rolling Stones, que, dans les années 1950 et 1960, la plupart des bluesmen de Chicago vinrent graver leur musique sur disque. Chess Records joua ainsi un rôle majeur dans la diffusion du *Chicago blues*, l'ancêtre du rock. L'endroit abrite aujourd'hui la **Willie Dixon's Blues Heaven Foundation** *(www.bluesheaven.com)*, nom-

2

Ailleurs à Chicago

mée en l'honneur du fameux musicien et compositeur qui œuvra pendant des années au sein de Chess Records. Il est possible de prendre part à des visites guidées des anciens studios d'enregistrement et de répétition *(10$; lun-ven 11h à 16h, sam 12h à 14h)*.

Chinatown
aux environs de l'intersection de Cermak St. et de Wentworth Ave.

Le Chinatown de Chicago vit le jour en 1912. On y trouve aujourd'hui des boutiques en tout genre et, comme il se doit, de nombreux restaurants de cuisine chinoise.

Comiskey Park
333 W. 35th St.

Il s'agit du stade où évoluent depuis 1991 les White Sox de Chicago de la Ligue américaine de baseball. On l'a rebaptisé **US Cellular Field**

il y a quelques années. Les matchs des White Sox ont lieu d'avril à octobre *(312-674-1000 pour information générale, 866-SOX-GAME pour la réservation de places, www. whitesox.com)*

Bars et boîtes de nuit

Checkerboard Lounge
droit d'entrée; lun-jeu 17h à 1h, ven 17h à 3h, sam 17h à 2h, dim fermé; 5201 S. Harper Ct., 773-684-1472

Cet excellent bar de blues, jadis propriété du légendaire musicien Buddy Guy, présente des spectacles tous les soirs. Prenez un taxi car le secteur n'est pas des plus recommandables.

Schaller's Pump
lun-ven 11h à 2h, sam 16h à 3h, dim 15h à 21h; 3714 S. Halsted St., 773-376-6332

Pub irlandais plus que centenaire (1881). Il a connu l'époque de la Prohibition et était le favori du maire Richard J. Daley, natif du quartier. Aujourd'hui, les partisans des White Sox (le US Cellular Field se trouve dans les environs) ont à leur tour adopté les lieux.

Le West Side ★

À voir, à faire

West Loop Gate
www.westloop.org
Ce quartier en pleine effervescence s'articule grosso modo autour de l'intersection des rues Randolph et Halsted. De nombreux anciens bâtiments industriels y ont été reconvertis en galeries d'art. Ce que l'on appelle maintenant le **West Loop Gate Art District** en compte ainsi une quarantaine. Pendant ce temps, plusieurs restaurants branchés poussent le long de Randolph Street et de Fulton Market Avenue.

Harpo Studios
1058 W. Washington Blvd., www.oprah.com
Célèbres studios où était produit l'*Oprah Winfrey Show*. L'animatrice et productrice afro-américaine de l'émission qui porte son nom s'est portée acquéreur de cet ancien immeuble industriel en 1988 pour le transformer en studios modernes de télé et de cinéma. La célèbre animatrice a toutefois mis fin à son émission culte en 2011. Elle a alors lancé l'Oprah Winfrey Network, une chaîne câblée, nouvelle composante de son empire médiatique.

United Center
1901 W. Madison St., www.unitedcenter.com
C'est la demeure des Bulls (basket-ball) et des Blackhawks (hockey sur glace). Un monument élevé à la gloire de la superstar du basket Michael Jordan se trouve près de l'entrée principale. La saison de basket-ball des Bulls s'étend de novembre à mai *(312-455-4500 pour information générale, 312-455-4000 pour la réservation de places, www.bulls.com)*, alors que celle des Blackhawks au hockey va du mois d'octobre à la mi-avril *(312-455-7000 pour information générale, 312-943-HAWK pour la réservation de places, www.chicagoblackhawks.com)*. Dans les deux cas, les séries éliminatoires peuvent s'étirer jusqu'au mois de juin.

Jane Addams Hull-House Museum
entrée libre; mar-ven 10h à 16h, dim 12h à 16h, lun et sam fermé; 800 S. Halsted St., 312-413-5353, www.hullhousemuseum.org
Situé sur le campus de l'University of Illinois, ce musée rend hommage à l'une des pionnières des services sociaux à Chicago. Jane Addams, avec l'aide d'Ellen Gates Starr, fonda son centre d'œuvres sociales en 1889 afin d'aider de diverses façons la communauté multiethnique défavorisée de ce secteur de la ville, qui se composait alors d'immigrants italiens, irlandais, grecs, allemands, russes et polonais, entre autres. Elle devint en outre une importante mili-

Quartier Pilsen.

tante pacifiste, ce qui lui valut le prix Nobel de la paix en 1931.

National Museum of Mexican Art
entrée libre; mar-dim 10h à 17h, lun fermé; 1852 W. 19th St., 312-738-1503, www.nationalmuseumofmexicanart.org

Le plus important musée du genre aux États-Unis. Il est situé dans le Harrison Park, au cœur du quartier de **Pilsen**, qui, avec son voisin **Little Village**, abrite une populeuse communauté d'origine mexicaine, la plus importante du pays après celle de Los Angeles.

Sa riche collection comprend aussi bien des pièces attribuables aux civilisations anciennes du Mexique, comme cette immense tête monolithique en pierre typique de la manière des Olmèques, que des œuvres d'artistes reconnus du XXe siècle, tels Frida Kahlo et Diego Rivera.

Les rues des quartiers de Pilsen et de Little Village arborent de nombreuses **murales extérieures**, autant d'exemples bien visibles de traditions mexicaines transplantées ici.

Intuit: Center for Intuitive and Outsider Art
5$; mar-mer et ven-sam 11h à 18h, jeu 11h à 19h30, dim-lun fermé; 756 N. Milwaukee Ave., 312-243-9088, www.art.org

Musée hors de l'ordinaire créé en 1991 pour faire connaître les œuvres d'artistes amateurs et autodidactes libres de toute influence académique, de tout mouvement culturel et de tout courant artistique officiels, un concept proche de celui de l'art brut tel que défini par Jean Dubuffet dans les années 1940.

Ailleurs à Chicago

Cafés et restos

Au Cheval $$

lun-sam 11h à 1h30, dim 10h à 0h30; 800 W. Randolph St., 312-929-4580

Sorte de diner chic ou de bar-taverne de luxe, où sont servis hamburgers relevés, poulet frit au miel, saumon fumé sur brioche grillée et assiette d'œufs brouillés avec *toasts* et foie gras. Choix d'une trentaine de bières pression.

avec $$

lun-jeu 15h30 à 24h, ven-sam 15h30 à 1h, dim 10h à 24h; 615 W. Randolph St., 312-377-2002

Le concept : vous partagez tout «avec» ceux qui vous accompagnent. La salle est ainsi meublée de grandes tables, rapprochées les unes des autres, où jusqu'à huit personnes peuvent s'asseoir. On vous servira des bouchées de spécialités méditerranéennes et des échantillons de vins… à partager.

Jaipur $$

lun-jeu 11h30 à 22h, ven 11h30 à 23h, sam 12h à 23h, dim 12h à 21h; 847 W. Randolph St., 312-526-3655

Restaurant de cuisine indienne au décor élégant où l'on remarque tout particulièrement les confortables fauteuils blancs et les chaleureux murs de briques. Terrasse en saison.

Embaya $$$

lun-jeu 11h30 à 21h, ven 11h30 à 22h, sam 17h à 22h, dim 17h à 21h; 564 W. Randolph St., 312-612-5640

Établissement au décor design qui propose une cuisine du Sud-Est asiatique haut de gamme. Menu principalement composé de spécialités vietnamiennes, mais où figurent également quelques classiques thaïs.

G.E.B. $$$

mar-jeu 17h à 22h, ven-sam 17h à 23h, dim 10h à 14h, lun fermé; 841 W. Randolph St., 312-888-2258

L'acronyme de ce bruyant resto signifie Graham Elliot Bistro. Il s'agit donc d'un établissement lancé par le chef-vedette de la Ville des Vents, bien connu pour son rôle de juge dans l'émission *Master Chef*. Au menu, musique rock, serveurs en jeans et cuisine recherchée.

Girl & the Goat $$$

dim 16h30 à 23h, ven-sam 16h30 à 24h; 809 W. Randolph St., 312-492-6262

Resto de Stephanie Izard, gagnante à l'émission de compétition culinaire *Top Chef*, au décor à la fois rustique et moderne. Les viandes sont à l'honneur, sans pour autant négliger les poissons, les fruits de mer et les plats végétariens imaginatifs. Choix de pains cuits sur place. Bonne sélection de bières de microbrasserie. De l'autre côté de la rue, il y a **The Little Goat** (*$$; 820 W. Randolph St., 312-888-3455*), un *diner* de luxe mais détendu, aussi lancé par la chef-vedette.

The Publican $$$

lun-jeu 15h30 à 22h30, ven 15h30 à 23h30, sam 10h à 23h30, dim 10h à 2h; 837 W. Fulton Market Ave., 312-733-9555

Une autre propriété du chef Paul Kahan (Blackbird, avec). Allure rustique : grandes tables communes et box de bois simplement disposés dans une vaste salle à haut plafond. Préparations variées et créatives de porc, de poissons et de fruits de mer. Impressionnante sélection de bières internationales.

Carnivale $$$-$$$$
lun-jeu 11h30 à 22h, ven 11h30 à 23h, sam 17h à 23h, dim 17h à 22h; 702 W. Fulton Market, 312-850-5005

Ce restaurant vibre au son de la musique latino-américaine. Le menu comprend poissons, salades, steaks et plats de poulet préparés qui à la cubaine, qui à la péruvienne, qui à la mode de l'Équateur, qui au goût du Guatemala...

Blackbird $$$$
lun-jeu 11h30 à 22h, ven 11h30 à 23h, sam 17h à 23h, dim 17h à 22j; 619 W. Randolph St., 312-715-0708

Avec son design intérieur stylisé, le Blackbird est une des vedettes de l'heure auprès de la faune branchée de Chicago. Qui plus est, la créative cuisine du chef originaire de Chicago Paul Kahan a obtenu les éloges de tous depuis la fondation de l'établissement en 1997.

Grace $$$$
mar-sam à partir de 17h30, dim-lun fermé; 652 W. Randolph St., 312-234-9494

Adresse devenue incontournable dès son ouverture à l'automne 2012 par le chef Curtis Duffy. Cuisine gastronomique inventive servie dans un décor sobre et élégant. Deux menus de 8 à 12 services, l'un mettant de l'avant les légumes (Flora) et l'autre les viandes (Fauna). Plats à la présentation des plus soignées, un

Blackbird.

véritable régal pour les yeux. Comptez 185$ avant les vins. Réservations indispensables.

Moto $$$$
mar-jeu 17h à 22h, ven-sam 17h à 23h, dim-lun fermé; 945 W. Fulton Market St., 312-491-0058

Le chef du Moto, Homaro Cantu, est considéré comme une sorte de savant fou. Il a d'ailleurs inventé un menu comestible (encre alimentaire sur papier soya!). Menus dégustation de 14 services (comptez autour de 175$, avant les vins). Réservations indispensables.

Lèche-vitrine

Galeries d'art

Rhona Hoffman Gallery
West Loop Gate, 118 N. Peoria St., 312-455-1990, www.rhoffmangallery.com
Œuvres d'artistes contemporains.

Ailleurs à Chicago

Thomas McCormick Gallery
West Loop Gate, 835 W. Washington Blvd., 312-226-6800, www.thomasmccormick.com

Peintures et sculptures d'artistes américains.

Wicker Park et Bucktown ★

À voir, à faire

Les quartiers de Wicker Park et de Bucktown se trouvent au nord-ouest de la ville, là où se rencontrent les avenues North, Damen et Milwaukee. Vous entendrez la plupart du temps parler de Wicker Park et de Bucktown ensemble, si bien qu'ils forment aujourd'hui un seul et même quartier que l'on peut rejoindre aisément par la ligne bleue du métro aérien. Outre les artères précédemment mentionnées, Division Street, au sud, est une autre des rues animées du secteur. En fait, le charme du quartier réside essentiellement dans ses nombreuses boutiques et, surtout, dans ses restaurants, cafés-terrasses et bars, dont plusieurs ont pignon sur Division Street. Ainsi, ce secteur assez tranquille au grand jour devient autrement plus animé en soirée.

Le **Wicker Park** en lui-même, soit le parc qui a donné son nom au quartier, forme un triangle délimité par Damen Avenue, Wicker Park Avenue et Schiller Street. On y remarque notamment une fontaine reconstituée en 2002 à l'aide du moule de l'originel, qui datait de 1880. Un peu au sud se trouve la **maison de Nelson Algren** *(1958 W. Evergreen Ave.)*, demeure victorienne où vécut le célèbre romancier.

Holy Trinity Russian Orthodox Cathedral ★
visites guidées sam 11h à 14h; 1121 N. Leavitt St., www.holytrinitycathedral.net

La fort jolie Holy Trinity Russian Orthodox Cathedral fut construite entre 1899 et 1903 par Louis H. Sullivan. Bien que l'ensemble soit très classique dans sa forme, Sullivan a trouvé le moyen de laisser sa signature ici et là, notamment dans la feuille de métal ouvragé que l'on aperçoit au-dessus de la porte d'entrée, qui rappelle les fenêtres décoratives de son fameux magasin **Carson Pirie Scott** de State Street (voir p. 34).

Ukrainian Institute of Modern Art
mer-dim 12h à 16h; 2320 W. Chicago Ave., 773-227-5522, www.uima-chicago.org

Ce musée abrite une importante collection d'œuvres modernes et contemporaines (peintures et sculptures) réalisées dès les années 1950 à nos jours par des artistes américains et américano-ukrainiens.

Ukrainian National Museum
jeu-dim 11h à 16h; 2249 W. Superior St., 312-421-8020, www.ukrainiannationalmuseum.org

L'histoire de l'Ukraine est évoquée dans cette institution à l'aide d'objets des plus variés tels qu'outils agricoles, instruments de musique et trophées.

Ukrainian Institute of Modern Art.

Ailleurs à Chicago

Polish Museum of America
7$; ven-mer 11h à 16h, jeu fermé; 984 N. Milwaukee Ave., 773-384-3352,
www.polishmuseumofamerica.org

Le Polish Museum of America rend quant à lui hommage à la communauté polonaise de Chicago, qui, avec son million de descendants, regroupe la plus importante diaspora en dehors de Varsovie.

Cafés et restos

Milk and Honey Café $
lun-ven 7h à 16h, sam 8h à 17h, dim 8h à 16h; 1920 W. Division St., 773-395-9434

Ce café de Division Street est souvent bondé. C'est qu'il s'avère fort sympathique avec ses beaux murs de briques, sa grande terrasse à l'avant en saison et son vaste choix de sandwichs et de soupes (plus de 30!).

Mindy's HotChocolate Restaurant and Dessert Bar $-$$
mar 17h30 à 22h, mer-jeu 11h30 à 22h, ven 11h30 à 24h, sam 10h à 24h, dim 10h à 22h, lun fermé; 1747 N. Damen Ave., 773-489-1747

C'est pour les succulents desserts que l'on vient dans ce bistro américain de la chef-pâtissière Mindy Segal, rapidement devenu l'une des adresses les plus courues des environs, ou encore pour les chocolats chauds, proposés en plusieurs variétés.

Green Zebra $$
lun-jeu 17h30 à 21h30, ven-sam 17h à 22h, dim 17h à 21h; 1460 W. Chicago Ave., 312-243-7100

L'un des trop rares restaurants végétariens haut de gamme de Chicago. Intérieur minimaliste que réchauffent toutefois les murs de briques. Le menu, qui change fréquemment, propose salades, polentas, gnocchis au parmesan, crêpes, etc.

Ada Street $$$
le soir seulement, dim fermé; 1664 N. Ada St., 773-697-7069

Minuscule établissement installé dans un secteur industriel excentré de Bucktown qui en a séduit plus d'un depuis son ouverture en 2012. Tartares et confit de canard servis en petites portions. Beau choix de cocktails. Terrasse avec table de ping-pong en saison.

Carriage House $$$
mar-dim midi et soir, lun fermé; 1700 W. Division St., 773-384-9700

Authentique *Southern cuisine* proposée par Mark Steuer, lui-même originaire de la Caroline du Sud. Menu subdivisé en spécialités *traditional* (poulet frit, agneau braisé, *fried green tomatoes*) et *reimagined* (adaptations créatives d'autres classiques du sud des États-Unis) servies en petites portions. Belle sélection de cocktails à base de bourbon.

Bars et boîtes de nuit

Empty Bottle
droit d'entrée; lun-mer 17h à 2h, jeu-ven 15h à 2h, sam 12h à 3h, dim 12h à 2h; 1035 N. Western St., 773-276-3600, www.emptybottle.com

Ce populaire établissement attire une clientèle dans la vingtaine adepte d'*indie-rock*. Concerts rock, de musique actuelle et de jazz moderne.

Double Door
droit d'entrée; 1572 N. Milwaukee Ave., 773-489-3160, www.doubledoor.com

L'un des temples du rock alternatif à Chicago. Les groupes les plus prometteurs s'y produisent en spectacle. Comme son nom le laisse croire, il y a deux portes d'entrée, et généralement il faut passer par celle du 1551 North Damen Avenue.

Rosa's Lounge
droit d'entrée; 3420 W. Armitage St., 773-342-0452, www.rosaslounge.com

L'une des boîtes de blues les plus sympathiques de la ville, fondée par une immigrante italienne du nom de Rosa Mangiullo et son fils, le batteur de blues Tony Mangiullo. De très bons musiciens se produisent ici, dans une salle fort agréable et accueillante.

Logan Square

À voir, à faire

Situé au nord-ouest de Wicker Park et Bucktown, Logan Square constitue le quartier émergent de l'heure. Ce secteur d'abord résidentiel a vu plusieurs restaurants s'installer au cours des dernières années et a rapidement été adopté par les *hipsters* de la ville. Maintenant que le «secret» a été éventé, la frange de visiteurs constitués de *foodies* considère de plus en plus cette partie excentrée de Chicago comme une destination gourmande à explorer.

Carriage House.

Logan Square Farmer's Market

Logan Blvd. près de Milwaukee Ave., 773-489-3222, www. logansquarefarmersmarket.org

En plus des nombreux restos des environs, les kiosques de ce marché extérieur accueillent les gourmands tous les dimanches de juin à octobre depuis 2007. Version réduite intérieure hors saison au 2755 North Milwaukee Avenue.

Cafés et restos

Fat Rice $$

mar-sam 17h30 à 22h, dim-lun fermé; 2957 W. Diversey Ave., 773-661-9170

L'un des nouveaux venus les plus applaudis en 2013 à Chicago. Spécialités de Macao, une cuisine fusion par définition qui intègre des influences portugaises, chinoises et indiennes. Salle charmante et conviviale. L'*arroz gordo*, riz consistant rappelant la *paella* et dont le nom se traduit par *fat rice* en anglais, fait office de plat signature de la maison.

Lula Cafe $$-$$$

9h à 2h, mar fermé; 2537 N. Kedzie Blvd., 773-489-9554

Inauguré en 1999, ce «bistro bohème» est le doyen du secteur. Les habitués acceptent volontiers de s'entasser dans une salle minuscule bien que chaleureuse, pour son réputé brunch ou, en soirée, son très apprécié menu végétarien de six services.

Longman & Eagle $$$

dim-ven 9h à 2h, sam 9h à 3h; 2657 N. Kedzie Ave., 773-276-7110

Les Américains appellent *gastropubs* ces établissements où est servie une cuisine gastronomique

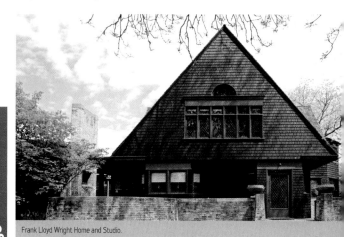

Frank Lloyd Wright Home and Studio.

dans une ambiance des plus décontractées. Longman & Eagle s'inscrit parfaitement dans cette mouvance: menu de cuisine américaine raffinée respectant le principe «de la ferme à la table», décor de type taverne, serveurs en jeans, musique rock et impressionnante sélection de whiskeys.

Arun's $$$$
dim et mar-jeu 17h à 22h, ven-sam 17h à 22h30, lun fermé; 4156 N. Kedzie Ave., 773-539-1909

Le meilleur restaurant thaïlandais de Chicago, situé en fait un peu au nord du quartier de Logan Square. Établissement aux allures de galerie d'art: multiples petites salles intimes garnies de nombreux tableaux. Cuisine raffinée et plats magnifiquement présentés. Menu de 12 services à prix fixe.

Oak Park ★★★

À voir, à faire

La banlieue ouest d'Oak Park est connue à travers le monde pour avoir été le creuset où Frank Lloyd Wright a créé la **Prairie House**, de laquelle est née l'architecture résidentielle américaine moderne. Wright s'y installa en 1889 et développa ce style unique au cours des deux décennies suivantes, construisant dans le secteur une impressionnante série de maisons aux lignes horizontales typiques de sa manière. Il est aussi à noter qu'une autre légende américaine, Ernest Hemingway, est né ici en 1899.

Oak Park est situé à une quinzaine de kilomètres à l'ouest du Loop. En voiture, il faut emprunter l'Eisenhower Expressway (I-290) jusqu'à

Harlem Avenue (sortie 21B, sur la droite), que l'on suit jusqu'à Lake Street, qu'il faut prendre à droite. Le quartier est aussi desservi par le métro (ligne verte, station Oak Park).

Le meilleur endroit où entreprendre la visite d'Oak Park est l'**Oak Park Visitors Center** *(tlj 10h à 17h; 1010 Lake St., 708-524-7800)*. On y trouve plans et brochures aidant à planifier sa visite du secteur, ainsi qu'une petite boutique de souvenirs.

Frank Lloyd Wright Home and Studio ★★
15$; visites guidées tlj 11h à 16h; 951 Chicago Ave., www.wrightplus.org

Il s'agit de la demeure du grand architecte, où il habita entre 1889 et 1909. Wright construisit sa maison sur une période de près de 10 ans, débutant en 1889, dès l'âge de 22 ans. Devenue monument national, la maison est aujourd'hui le siège social du Frank Lloyd Wright Preservation Trust.

Ernest Hemingway Birthplace
10$; dim-ven 13h à 17h, sam 10h à 17h; 339 N. Oak Park Ave., 708-445-3071, www.ehfop.org

C'est dans cette demeure victorienne qu'a vu le jour en 1899 le fameux Prix Nobel de littérature. Le droit d'entrée inclut la visite non loin de là, de l'autre côté de la rue, de l'**Ernest Hemingway Museum** *(dim-ven 13h à 17h, sam 10h à 17h; 200 N. Oak Park Ave., 708-524-5383)*. Le musée permet d'en apprendre un peu plus sur la vie et l'œuvre du célèbre romancier américain.

Unity Temple ★★★
12$; lun et mer-ven 9h à 15h, sam 9h à 13h, dim et mar fermé; 875 Lake St., 312-994-4000, www.utrf.org

L'un des chefs-d'œuvre de Frank Lloyd Wright, construit en 1906. Il est composé de deux «blocs de béton» reliés par un passage bas abritant l'église, d'un côté, et le presbytère, de l'autre. Mais c'est l'intérieur qu'il faut voir à tout prix. Wright en conçut les moindres éléments, assurant ainsi à l'ensemble une unité d'une rare perfection.

Cafés et restos

☺ Sén Sushi Bar $$
mar-sam 11h à 22h, dim 12h à 21h30, lun fermé; 814 S. Oak Park Ave., 708-848-4400

Petit bijou d'une trentaine de places où le bois clair domine l'agréable décor. Sushis frais et variés, mais aussi de nombreuses autres spécialités japonaises: poulet *teriyaki*, *tonkatsu*, *bento* de filet de saumon.

Hemmingway's Bistro $$$
tlj 7h à 21h30; 211 N. Oak Park Ave., 708-524-0806

Voici un bistro parisien classique, avec son menu composé de spécialités typiques comme la soupe à l'oignon gratinée, le coq au vin, le cassoulet toulousain, la bouillabaisse et le canard à l'orange. Quant au brunch du dimanche, il est servi accompagné de champagne.

chicago
pratique

Aéroport international O'Hare.

⟍Les formalités

Passeports et visas

Pour entrer aux États-Unis par voie aérienne, les citoyens canadiens ont besoin d'un passeport. S'ils entrent par voie terrestre ou maritime, ils pourront présenter soit leur passeport ou leur «permis de conduire Plus», qui sert à la fois de permis de conduire et de document de voyage.

Les résidents d'une trentaine de pays dont la France, la Belgique et la Suisse, n'ont plus besoin d'être en possession d'un visa pour entrer aux États-Unis à condition de:

▪ avoir un billet d'avion aller-retour;

▪ présenter un passeport électronique sauf s'ils possèdent un passeport individuel à lecture optique en cours de validité et émis au plus tard le 25 octobre 2005; à défaut, l'obtention d'un visa sera obligatoire;

▪ projeter un séjour d'au plus 90 jours (le séjour ne peut être prolongé sur place: le visiteur ne peut changer de statut, accepter un emploi ou étudier);

▪ présenter des preuves de solvabilité (carte de crédit, chèques de voyage);

▪ remplir le formulaire de demande d'exemption de visa (formulaire I-94W) remis par la compagnie de transport pendant le vol;

- le visa est toujours nécessaire pour certaines catégories de voyageurs (étudiants ou visa précédemment refusé).

Depuis 2009, les ressortissants des pays bénéficiaires du Programme d'exemption de visa doivent obtenir une autorisation de séjour avant d'entamer leur voyage aux États-Unis. Afin d'obtenir cette autorisation, les voyageurs éligibles doivent remplir le questionnaire du Système électronique d'autorisation de voyage (ESTA) au moins 72h avant leur déplacement aux États-Unis. Ce formulaire est disponible gratuitement sur le site Internet administré par le U.S. Department of Homeland Security (*https://esta. cbp.dhs.gov/esta/esta.html*).

L'arrivée

Par avion

Aéroport international O'Hare (ORD)

L'aéroport international O'Hare de Chicago (*www.flychicago.com*) est le plus fréquenté du monde. Chaque année, on y dénombre plus de 900 000 vols, et quelque 67 millions de passagers y transitent. On y compte trois aérogares pour les vols intérieurs, et une autre, aménagée en 1993, pour les vols outre-mer. Il est situé à 27 km au nord-ouest du centre-ville.

La plupart des agences de location de voitures y sont aussi représentées. Pour rejoindre le centre-

Chicago pratique

Le train rapide de la Chicago Transit Authority.

ville, il faut emprunter la Kennedy Expressway (autoroute 90) en direction est. La sortie « Ohio Street » permet d'accéder à la partie du centre-ville située au nord de la Chicago River, alors que la sortie « Congress Parkway » mène au Loop, dans la section sud.

La Chicago Transit Authority (CTA) gère le service de **train rapide** (ligne bleue du métro) qui relie l'aéroport au centre-ville en 45 min *(2,25$)*. Le départ s'effectue à l'intérieur même de l'aéroport (rez-de-chaussée) toutes les 10 min (toutes les 30 min durant la nuit, soit de 1h à 5h). Le train conduit ses passagers directement dans le Loop, en plein cœur du quartier des affaires.

Go Airport Express *(888-284-3826, www.airportexpress.com)* propose un service de **minibus** pouvant vous conduire jusqu'aux principaux hôtels du centre-ville. Comptez environ 32$ (58$ aller-retour). Départ toutes les 10 à 15 min.

Pour une course en **taxi** entre l'aéroport et le centre-ville, il faut compter environ 45$. Le trajet se fait normalement en quelque 30 min, mais des bouchons de circulation causent souvent des délais supplémentaires.

Si vous souhaitez effectuer le trajet à bord d'une **limousine**, vous pouvez réserver auprès d'**O'Hare Midway Limousine Service** *(847-948-8050, www.ohare-midway. com)*.

Aéroport Midway (MDW)

L'autre aéroport de Chicago où vous êtes susceptible d'atterrir est celui

de Midway *(www.chicago-mdw. com)*, situé à environ 20 min au sud-ouest du centre de la ville. D'envergure plus modeste que l'aéroport O'Hare, le Midway reçoit tout de même 18 millions de passagers et 255 000 vols par année.

Toutes les agences internationales gèrent des comptoirs de location de voitures sur place. La Stevenson Expressway (autoroute 55) relie l'aéroport au centre de Chicago.

Un **train** de la CTA (ligne orange du métro) relie l'aéroport Midway au centre-ville (Loop) en 30 min *(2,25$)*. Départ à la station située du côté est de l'aéroport.

Les **minibus** de **Go Airport Express** *(888-284-3826, www. airportexpress.com)* peuvent aussi vous conduire aux hôtels du centre-ville pour 27$ (48$ aller-retour).

En **taxi**, il faut vous attendre à débourser entre 30$ et 35$ pour atteindre le cœur de Chicago, un trajet de 20 à 30 min.

Pour réserver une **limousine**, communiquez avec **O'Hare Midway Limousine Service** *(847-948-8050, www.ohare-midway.com)*.

Par autocar

La société Greyhound gère le réseau de liaisons par autocar aux États-Unis:

Greyhound
800-231-2222, www.greyhound.com
À Chicago, la gare routière se trouve au 630 W. Harrison Street *(312-408-5821)*.

Chicago pratique

Chicago Union Station.

Par train

Pour obtenir les horaires et les destinations desservies, communiquez avec la société **Amtrak**, la propriétaire du réseau ferroviaire américain *(800-872-7245, www.amtrak.com)*.

La **Chicago Union Station**, gare ferroviaire Amtrak de la ville, est située au 225 South Canal Street.

➤Le logement

Bed and breakfasts (gîtes touristiques)

Bed & Breakfast Chicago
www.chicago-bed-breakfast.com
Une association sans but lucratif qui compte une quinzaine d'établissements.

Auberge de jeunesse

Hostelling International Chicago
24 E. Congress Pkwy., 312-360-0300, www.hichicago.org

Hôtels

L'échelle utilisée dans ce guide donne des indications de prix pour une chambre standard pour deux personnes, avant taxe (voir p. 190), en vigueur durant la haute saison.

$	moins de 100$
$$	de 100$ à 200$
$$$	de 201$ à 350$
$$$$	plus de 350$

Chacun des établissements inscrits dans ces pages s'y retrouve en raison de ses qualités ou particularités, en plus de son rapport qualité/prix. Parmi ce groupe déjà

Chicago pratique

sélect, certains établissements se distinguent encore plus que les autres. Nous avons attribué à ceux-là le label Ulysse 🏛. Repérez-les en premier!

Le Loop *(voir carte p. 31)*

Essex Inn *$$-$$$* [57]
800 S. Michigan Ave., 312-939-2800
ou 800-621-6909, www.essexinn.com

Hébergement simple à prix raisonnable. Piscine et centre de conditionnement physique protégés par une agréable verrière, avec accès à une terrasse qui surplombe Michigan Avenue et offre une belle vue sur le Grant Park, en face.

🏛 **Hotel Allegro** *$$$* [60]
171 W. Randolph St., 312-236-0123
ou 800-643-1500, www.allegrochicago.com

Autrefois connu sous le nom de Bismarck Hotel, cet établissement arbore aujourd'hui un audacieux décor postmoderne. Chambres colorées et joyeuses. Le vin est servi gracieusement aux clients tous les après-midi entre 17h et 18h.

Hotel Burnham *$$$* [61]
1 W. Washington St., 312-782-1111
ou 866-690-1986, www.burnhamhotel.com

Hôtel-boutique luxueux et intime de 122 chambres installé dans l'historique Reliance Building, brillant représentant de l'« école de Chicago » élevé dans les années 1890. Vin servi gracieusement en fin d'après-midi dans le hall.

Hotel Monaco *$$$* [62]
225 N. Wabash Ave., 312-960-8500
ou 866-610-0081, www.monaco-chicago.com

Hôtel-boutique de 192 chambres décorées avec goût de beaux meubles anciens ainsi que de moquettes et tentures aux teintes

Chicago pratique

1. La façade du Renaissance Blackstone Chicago Hotel.

2. Hard Rock Hotel Chicago.

bien choisies. Vin servi en soirée dans le hall, près du feu de foyer. Excellente situation, à deux pas de la Chicago River.

Renaissance Blackstone Chicago Hotel $$$ [64]
636 S. Michigan Ave., 312-447-0955
ou 800-468-3571, www.theblackstonehotel.com
Hôtel historique de 332 chambres relativement grandes, qui allient d'heureuse manière l'ancien (ornementation, photographies d'archives) et le moderne (couleurs joyeuses, salles de bain bien équipées). Abrite un vibrant restaurant de tapas : le **Mercat a la Planxa** (voir p. 42).

W Chicago City Center $$$ [67]
172 W. Adams St., 312-332-1200,
www.wchicagocitycenter.com
L'historique Midland Hotel (1929) est devenu il y a quelques années le branché W Chicago City Center. Hall spectaculaire (colonnes, arches, balustrades). Le bar, à la décoration moderne, constitue un lieu de rencontre fort prisé. Chambres de dimensions modestes.

Wyndham Blake Chicago $$$ [68]
500 S. Dearborn St., 312-986-1234,
www.hotelblake.com
Aménagé dans une ancienne imprimerie et le Morton Building (1896) du quartier historique de Printer's Row. Très design, cet hôtel propose des chambres chaleureuses et de bonnes dimensions, percées de grandes fenêtres panoramiques.

Fairmont Chicago, Millennium Park $$$-$$$$ [58]
200 N. Columbus Dr., 312-565-8000
ou 888-495-1829,
www.themillenniumparkhotel.com
L'un des plus beaux halls de la ville, organisé autour d'une élégante

place octogonale servant de bar. Chambres vastes et habillées de couleurs douces et de meubles avec dessus en marbre. Abrite l'excellent restaurant **Aria** (voir p. 41).

Radisson Blu Aqua Hotel Chicago $$$-$$$$ [63]
221 N. Columbus Dr., 312-565-5258 ou 800-333-3333, www.radissonbluchicago.com
Remarquable nouveau venu (fin 2011) qui occupe une partie de la spectaculaire **Aqua Towe**r (voir p. 32). Chambres et suites design, dont plusieurs avec plancher de bois franc. Piscines intérieure et extérieure, cette dernière au cœur d'un agréable jardin.

theWit – A Doubletree Hotel $$$-$$$$ [66]
201 N. State St., 312-467-0200, www.thewithotel.com
Établissement récent (2009) installé dans un bâtiment de 27 étages facilement reconnaissable grâce à la bande translucide jaune qui zigzague sur presque toute la hauteur de sa façade. Chambres modernes, panoplie de gadgets électroniques à la clé. Au sommet, spectaculaire bar, baptisé ROOF on theWit, avec toit rétractable.

Hard Rock Hotel Chicago $$$$ [59]
230 N. Michigan Ave., 312-345-1000, www.hardrockhotelchicago.com
Installé depuis 2004 dans l'historique **Carbide & Carbon Building** (voir p. 28), une remarquable tour Art déco alors complètement restaurée. Chambres lumineuses et modernes.

Renaissance Chicago Downtown Hotel $$$$ [65]
1 W. Wacker Dr., 312-372-7200 ou 800-468-3571, www.renaissancechicagodowntown.com
Luxe et confort dans un cadre contemporain. Pianistes et trios de

jazz se produisent dans le bar du hall chaque soir. Chambres confortables garnies d'élégants meubles d'acajou et de boiseries foncées. Salle d'exercices bien équipée, avec sauna et piscine intérieure.

Le Magnificent Mile
(voir carte p. 71)

Red Roof Inn $$ [63]
162 E. Ontario St., 312-787-3580
ou 800-733-7663, www.redroof.com
La meilleure affaire au cœur du centre-ville de Chicago. Service minimal et chambres propres, bien que petites et sans charme particulier. Excellent emplacement.

Hyatt Chicago Magnificent Mile $$$ [59]
633 N. St. Clair St., 312-787-1234,
www.chicagomagnificentmile.hyatt.com
Splendide hall de marbre qui s'étend sur deux niveaux, et 417 chambres

aux dimensions généreuses, décorées avec simplicité et bon goût.

MileNorth Chicago $$$ [61]
166 E. Superior St., 312-787-6000,
www.milenorthhotel.com
Ex-Affinia Chicago, dont le hall a été complètement transformé avec divers éléments amusants, comme un bureau de réception qui prend la forme d'un grand chariot à bagages vintage. Chambres au chaleureux décor contemporain dominé par les teintes de beige, d'ocre et d'argent. Agréable terrasse sur le toit, adjacente au bar **C-View** (voir p. 79).

The Tremont Hotel $$$ [67]
100 E. Chestnut St., 312-751-1900 ou
888-627-8281, www.tremontchicago.com
L'un des plus chics petits hôtels (129 chambres) de Chicago. Certaines chambres sont dotées d'un foyer. Toutes sont baignées de lumière naturelle et habillées de couleurs joyeuses.

The Whitehall Hotel $$$ [68]
105 E. Delaware Pl., 312-944-6300
ou 866-753-4081, www.thewhitehallhotel.com
Hôtel-boutique aux dimensions humaines (221 chambres). Ravissantes chambres qui présentent un mobilier d'acajou et un décor évoquant le XVIIIe siècle.

Conrad Chicago $$$-$$$$ [56]
521 Rush St., 312-645-1500,
www.conradchicago.com
Cet hôtel de catégorie supérieure se cache au-dessus du mail commercial The Shops at North Bridge.

1. InterContinental Hotel.
2. Le vénérable Drake Hotel.

Chambres élégantes et baignées de lumière naturelle que laissent pénétrer de grandes fenêtres.

Hilton Chicago/ Magnificent Mile Suites
$$$-$$$$ [58]
198 E. Delaware Pl., 312-664-1100, www.hilton.com

La majorité des 345 appartements que compte cet établissement disposent de deux pièces de modeste taille, chacune équipée de son propre téléviseur. Centre d'exercices au sommet de l'hôtel, soit au 30e étage.

The Drake Hotel *$$$-$$$$*
[65]
140 E. Walton Pl., 312-787-2200
ou 800-553-7253, www.thedrakehotel.com

L'une des institutions de la ville (1920), qui figure depuis 1981 au registre des sites historiques amé-

ricains. Le *High Tea* est servi tous les après-midi dans son hall classique, au délicieux son de la harpe. Chambres de bonnes dimensions et richement décorées.

Four Seasons Hotel Chicago *$$$$* [57]
120 E. Delaware Pl., 312-280-8800, www.fourseasons.com

C'est près d'un feu de foyer et d'une magnifique fontaine de marbre importée d'Italie que le thé est servi, en fin d'après-midi, dans le hall de cet hôtel de grand standing, l'un des plus luxueux de la ville.

InterContinental Hotel *$$$$*
[60]
505 N. Michigan Ave., 312-944-4100
ou 800-628-2112, www.icchicagohotel.com

À quelques pas de la Chicago River. Chambres spacieuses qui surprennent par la finesse de leur décoration. Aire de piscine intérieure décorée à la mode des années 1940, à voir absolument. Abrite un agréable bar à vins, **Eno** (voir p. 79).

Park Hyatt Chicago $$$$ [62]

800 N. Michigan Ave., 312-335-1234, www.parkchicago.hyatt.com

Hôtel de charme de grande élégance qui n'occupe que quelques-uns des 67 étages d'un bel immeuble postmoderne. Agréable piscine intérieure. Splendide vue sur la Water Tower grâce à la grande verrière inclinée du restaurant **NoMI Kitchen** (voir p. 79).

Ritz-Carlton Chicago $$$$ [64]

160 E. Pearson St., 312-266-1000, www.fourseasons.com

Hôtel de grand luxe caché dans l'ombre de la massive Water Tower Place, aux boutiques de laquelle il donne directement accès. Hall et chambres de grande élégance. Pour plusieurs, il s'agit toujours du meilleur hôtel de la ville. Un classique!

The Peninsula Chicago $$$$ [66]

108 E. Superior St., 312-337-2888, www.peninsula.com

Hôtel de grand standing inauguré en 2001. Chambres très luxueuses à la décoration classique agrémentée d'éléments asiatiques. Spectaculaire et très complet spa, au sommet de l'hôtel, qui donne accès à une jolie terrasse.

Le River North
(voir carte p. 89)

Ohio House Motel $ [77]

600 N. LaSalle St., 312-943-6000 ou 866-601-6446, www.ohiohousemotel.com

Un véritable motel perdu au centre-ville, avec stationnement (gratuit!) devant ses 50 chambres... Économique et bien situé, mais il ne faut pas regarder à la qualité de l'accueil ou de la décoration (inexistante!).

ACME Hotel Company Chicago $$$ [71]

15 E. Ohio St., 312-894-0800, www.acmehotelcompany.com

Établissement récent qui s'adresse aux amateurs de gadgets technologiques : accès ultrarapide à Internet, système audio sans fil, écran de télé sur lequel on peut brancher son ordinateur portable. Espaces communs garnis d'œuvres d'art contemporain. Bar à cocktails des plus invitants tout au fond du hall : The Berkshire Room.

Hotel Cass – A Holiday Inn Express $$$ [74]

640 N. Wabash Ave., 312-787-4030 ou 800-799-4030, www.hotelcass.com

Autrefois l'une des meilleures aubaines en ville, l'Hotel Cass a été repris il y a quelques années par la chaîne Holiday Inn Express, qui y a mené une importante rénovation. Le hall est désormais plus chic, les 175 chambres ont rajeuni et les prix... augmenté.

Park Hyatt Chicago.

Dana Hotel and Spa $$$ [73]
660 N. State St., 312-202-6000,
www.danahotelandspa.com

Hôtel-boutique de 216 chambres modernes munies de fenêtres panoramiques qui vont du plancher jusqu'au plafond. Le Vertigo Sky Lounge, perché au 26e étage, mérite une visite pour son décor moderne, la vue qu'on y a sur la ville et la faune branchée qui l'a adopté.

Hotel Felix Chicago $$$ [75]
111 W. Huron St., 312-447-3440
ou 877-848-4040, www.hotelfelixchicago.com

Hôtel-boutique environnementalement responsable (douches éco-énergétiques, carpettes faites de matières recyclées, stationnement gratuit offert aux clients conduisant une voiture hybride). Cachet résolument moderne. Chambres design et high-tech.

Aloft Chicago City Center $$$-$$$$ [72]
515 N. Clark St., 312-661-1000,
www.aloftchicagocitycenter.com

Nouvel hôtel à l'allure branchée. Étonnant hall muni de fauteuils «boules» qui rappellent les années 1960, de tablettes disponibles pour fureter sur Internet, d'une table de billard et d'un très animé resto, le Beatrix. Chambres aux dimensions modestes mais à la déco design aux couleurs pimpantes.

Hotel Sax Chicago $$$-$$$$ [76]
333 N. Dearborn St., 312-245-0333,
www.hotelsaxchicago.com

Au pied de la tour ouest de Marina City. Chambres à l'élégant décor moderne. Abrite le Crunch Fitness Center (supplément). Excellente localisation à deux pas de très bons restaurants et du fameux **House of Blues** (voir p. 101).

Sofitel Chicago Water Tower $$$-$$$$ [78]
20 E. Chestnut St., 312-324-4000, www.sofitel-chicago-watertower.com

L'érection de cet hôtel en 2002 a créé l'événement grâce à la qualité de son architecture et de sa décoration alliant modernisme et raffinement. Abrite le Café des Architectes, un hommage à la grande tradition de la ville en matière d'architecture.

The James Chicago $$$-$$$$ [79]
55 E. Ontario St., 312-337-1000, www.jameshotels.com

Hôtel de 300 chambres au design moderne et très épuré, inauguré en 2006. Chambres équipées d'innombrables gadgets techno : téléviseur à écran plat, Internet sans fil, chaîne stéréo avec prise iPod/MP3. Splendide spa.

Westin Chicago River North $$$-$$$$ [82]
320 N. Dearborn St., 312-744-1900, www.westinchicago.com

Hall remarquable dont les éléments décoratifs marient le raffinement asiatique à l'audace du modernisme d'avant-garde. Grâce à de grandes verrières, il s'ouvre sur un splendide jardin japonais et la Chicago River.

La même finesse marque la déco des chambres.

The Langham Chicago $$$$ [80]
330 N. Wabash Ave., 312-923-9988, www.chicago.langhamhotels.com

Nouvel hôtel aménagé sur les 12 premiers étages du 330 North Wabash de Mies van der Rohe. Hall au deuxième étage donnant sur un grand bar où le blanc est à l'honneur et sur le très aéré restaurant Travelle. Vastes chambres et suites tirant profit de la généreuse fenestration de l'emblématique bâtiment. Centre de remise en forme très bien équipé.

Trump International Hotel & Tower $$$$ [81]
401 N. Wabash Ave., 312-588-8000, www.trumpchicagohotel.com

Établissement hôtelier de prestige installé dans la flamboyante tour argentée élevée en 2009 par le non moins flamboyant Donald Trump. Abrite le restaurant **Sixteen** (voir p. 98), dont la terrasse permet un coup d'œil magique sur le Wrigley Building, tout proche.

Navy Pier et ses environs
(voir carte p. 109)

Ivy Boutique Hotel $$$ [29]
233 E. Ontario St., 312-335-5444, www.exploreivy.com

Établissement ouvert à l'été 2012 dans un bâtiment étroit comportant un mur complètement

Trump International Hotel & Tower.

aveugle à l'est. Hôtel-boutique de 63 chambres seulement, au décor contemporain sobre et élégant. Bar avec terrasse sur le toit: Sky Terrace at the Ivy Hotel.

Sheraton Chicago Hotel & Towers $$$ [30]

301 E. North Water St., 312-464-1000 ou 877-242-2558, www.sheratonchicago.com

Cet hôtel s'élève gracieusement tel un phare, à la fois au bord de la Chicago River et non loin du lac Michigan. Compte 1 200 chambres, grandes et confortables, et quatre restaurants et bars.

W Chicago Lakeshore $$$ [31]

644 N. Lake Shore Dr., 312-943-9200, www.whotels.com

L'un des hôtels en vogue de la Ville des Vents. Magnifiques chambres au décor moderne agrémenté de lambris et de meubles de bois foncé. Le bar Whiskey Sky, situé au sommet de l'hôtel, permet de contempler le panorama.

La Gold Coast (voir carte p. 119)

Gold Coast Guest House $$-$$$ [46]

113 W. Elm St., 312-337-0361, www.bbchicago.com

Bed and breakfast (gîte touristique) de quatre chambres, aménagé dans une jolie maison victorienne mitoyenne construite en 1873. À l'arrière, une large baie vitrée haute de deux étages permet de jeter un coup d'œil sur le très beau jardin. Accueil chaleureux et localisation avantageuse près des restos et boîtes de nuit de Rush Street.

Chicago pratique

Hotel Indigo *$$$$* [47]
1244 N. Dearborn Pkwy., 312-787-4980 ou 866-521-6950, www.goldcoastchicagohotel.com

Hôtel-boutique situé dans un beau quartier résidentiel, bien qu'à proximité de la vie nocturne de Rush Street et des boutiques de Michigan Avenue. Déco originale empreinte de fraîcheur. Chambres de dimensions modestes, habillées de couleurs vives et éclatantes.

PUBLIC Chicago *$$$$* [48]
1301 N. State Pkwy., 312-787-3700 ou 888-506-3471, www.publichotels.com

Nouvelle incarnation du légendaire Ambassador East inaugurée en 2011. Chambres de luxe arborant une allure moderne et épurée où dominent le blanc, le crème et les couleurs terre. Au rez-de-chaussée, le restaurant **The Pump Room** (voir p. 122) n'a plus de son ancêtre que le nom tellement on lui a donné un look résolument contemporain.

Les déplacements

Orientation

La ville est quadrillée par un réseau de rues et d'avenues se croisant presque toujours à angle droit. Ce quadrillage systématique est donc composé d'artères est-ouest traversant des rues, avenues ou boulevards nord-sud. Les adresses, qui portent toujours les mentions «North», «South», «East» ou «West», permettent d'identifier facilement le sens de l'artère et le secteur de la ville recherché. Il faut alors savoir que le point zéro du quadrillage se trouve à l'angle des rues State et Madison. Ainsi, toute adresse située à l'est de State Street sur une artère est-ouest comportera la mention «East» (par exemple, 237 E. Ontario Street), et toute adresse située au sud de Madison Street sur une artère nord-sud comportera la mention «South» (par exemple, 618 S. Michigan Avenue).

En voiture

L'automobile ne constitue sûrement pas le moyen le plus efficace, ni le plus agréable, pour visiter Chicago. Les embouteillages nombreux, la circulation dense et la difficulté de trouver un stationnement vous feront perdre plus de temps qu'autre chose, du moins lors de votre découverte du centre de la ville. Nous vous conseillons donc fortement de découvrir Chicago à pied et, pour parcourir des distances plus longues, d'utiliser les transports en commun, fort bien organisés.

Si malgré tout vous souhaitez louer une voiture, rappelez-vous que plusieurs agences de location exigent que leurs clients soient âgés d'au moins 25 ans et que toutes insistent pour qu'ils soient en possession d'une carte de crédit reconnue. Voici quelques adresses d'agences de

INTERSTATE
90 Fwy

Downtown
Chicago

L'autoroute 90, une des
voies d'accès à la Ville des
Vents.

location de voitures ayant un bureau
au cœur de Chicago :

Avis : 214 N. Clark St., 312-782-6825

Enterprise : 20 E. Randolph St.,
312-251-0200

Hertz : 401 N. State St., 312-372-7600

National : 203 N. LaSalle St.,
888-826-6890

En transports en commun

C'est de la **Chicago Transit
Authority (CTA)** *(312-836-7000,
www.transitchicago.com)* que
relève le système de transport en
commun de Chicago. Il est composé d'un important réseau de lignes
d'autobus, ainsi que du métro, parfois souterrain, parfois aérien, qui
sillonne la ville et la banlieue immé-
diate.

Le tarif adulte pour l'autobus est de
2,25$, auquel il faut ajouter 0,25$
pour le billet de correspondance,
si nécessaire. Pour le métro, il faut
aussi compter 2,25$ pour l'accès
et 0,25$ pour le billet de corres-
pondance.

Il est aussi possible de se procurer, dans les stations du métro,
une carte à puce rechargeable
pour une valeur variant entre 2$
et 100$. Des laissez-passer don-
nant aux visiteurs un accès illimi-
té au réseau pendant une période
définie sont également proposées.
Il en coûte 10$ pour un titre de 24
heures, 20$ pour trois jours et 28$
pour sept jours. Ces laissez-passer
touristiques sont en vente dans les

Chicago pratique

1. Le Metra.

2. Un *water taxi*.

Chicago pratique

bureaux d'information touristique et les aéroports.

Notez que le métro, en partie aérien (dans le Loop notamment), est aussi dénommé *El* par les Chicagoens. Il s'agit d'une sorte d'abréviation de «Elevated Rapid Transit Train».

En outre, il y a le **Metra** *(312-322-6777, www.metrarail.com)*, abréviation de «Metropolitain Rail», un réseau de trains de banlieue, de même que l'organisme **Pace** *(www.pacebus.com)*, qui gère une série de routes d'autocar reliant entre elles les villes de la région.

En taxi

De très nombreux taxis sillonnent les rues de Chicago. Vous n'aurez, la plupart du temps, qu'à lever le bras pour en héler un. Voici malgré tout les coordonnées de quelques compagnies de taxis:

Flash Cab Chicago: 773-561-4444

Yellow Cab Chicago: 312-829-4222

En water taxis

Durant la belle saison (mai à septembre), de petites embarcations dénommées *water taxis* font la navette sur le lac Michigan entre le complexe de Navy Pier et le Museum Campus (près du Shedd Aquarium), ou sur la Chicago River entre le complexe de Navy Pier et la Willis Tower (derrière le 200 S. Wacker Drive). Ce service est proposé par **Shoreline Sightseeing** *(312-222-9328, www.shorelinesightseeing.com)*, et les tarifs vont de 2$ à 13$ pour les adultes et de 1$ à 7$ pour les

enfants, en fonction de la distance parcourue.

Chicago Water Taxi *(312-337-1446, www.chicagowatertaxi.com)* propose également ses services sur la Chicago River entre le Magnificent Mile et le Chinatown *(3$ à 7$ pour un aller seulement, 8$ à 10$ pour le laissez-passer d'un jour)*.

À vélo

La Ville de Chicago a adopté un ambitieux projet urbanistique devant porter à plus de 800 km le réseau de voies cyclables de la ville d'ici 2015. Outre la création de nouvelles voies, le plan prévoit l'instauration d'une signalisation particulière, l'installation de nombreux supports de stationnement pour vélos et une plus grande accessi-

bilité pour les vélos dans les transports en commun.

Une première addition aux infrastructures de la ville destinées aux cyclistes a déjà vu le jour dans la portion nord-est du prestigieux Millennium Park: le **McDonald's Cycle Center** (voir p. 58).

Vous pouvez aussi compter sur les grands parcs de la ville, merveilleusement aménagés le long du lac Michigan. Cette extraordinaire «bande verte», qui sert de lieu de transition entre la métropole et cette vaste étendue d'eau, représente à n'en point douter une bénédiction pour les cyclistes. Ainsi, il y a plusieurs pistes dans le **Lincoln Park** et le **Grant Park**, où l'on peut d'ailleurs louer des bicyclettes (voir «Le Lakefront Trail à vélo», p. 110).

Chicago pratique

1. Lakefront Trail.
2. Chicago Riverwalk.

En 2012, la Ville a adopté le système de **vélos en libre-service** Bixi de Montréal, rebaptisé **Divvy** *(855-553-4889, www.divvybikes.com)* à Chicago. Un réseau de quelque 400 stations et 4 000 vélos a depuis été déployé dans les rues de Chicago. L'abonnement (annuel 75$, quotidien 7$) permet l'utilisation illimitée des vélos, à condition de les rapporter à une station toutes les 30 minutes. Après ces 30 minutes, des frais supplémentaires de 2$ à 8$ selon la durée sont perçus sur votre carte de crédit ou de débit.

À pied

C'est encore la marche qui permet le mieux de goûter la richesse architecturale de Chicago, de profiter de ses nombreuses places publiques ou de faire du lèche-vitrine. Ainsi, en prévision de votre séjour dans la Ville des Vents, assurez-vous de ne pas oublier vos chaussures de marche...

Bon à savoir

Ambassades et consulats étrangers aux États-Unis

Belgique

Ambassade: 3330 Garfield St. NW, Washington, DC 20008, 202-333-6900, www.diplobel.us

Canada

Ambassade: 501 NW Pennsylvania Ave., Washington, DC 20001, 202-682-1740, www.canadianembassy.org

Taux de change

1$US	=	1,10$CA
1$US	=	0,74€
1$US	=	0,90FS
1$CA	=	0,90$US
1€	=	1,35$US
1FS	=	1,11$US

N.B. Les taux de change peuvent fluctuer en tout temps.

Consulat: 180 N. Stetson St., Suite 2400, Chicago, IL 60601, 312-616-1860

Délégation du Québec:
444 N. Michigan Ave., bureau 3650, Chicago, IL 60611-3977, 312-645-0392, www.quebec-chicago.org

France

Ambassade: 4101 NW Reservoir Rd., Washington, DC 20007, 202-944-6000, www.info-france-usa.org

Consulat: 205 N. Michigan Ave., Chicago, IL 60601, 312-327-5200, www.consulfrance-chicago.org

Suisse

Ambassade: 2900 Cathedral Ave. NW, Washington, DC 20008, 202-745-7900, www.swissemb.org

Consulat: 737 N. Michigan Ave., Suite 2301, Chicago, IL 60611, 312-915-0061

Argent et services financiers

Monnaie

L'unité monétaire est le dollar ($US), divisé en 100 cents. Il existe des billets de banque de 1, 5, 10, 20, 50 et 100 dollars, de même que des pièces de 1 (*penny*), 5 (*nickel*), 10 (*dime*) et 25 (*quarter*) cents. Il y a aussi les pièces d'un demi-dollar et d'un dollar, ainsi que le billet de 2$, mais ceux-ci sont très rarement utilisés.

Il est à noter que tous les prix mentionnés dans le présent ouvrage sont en dollars américains.

Banques

Les banques sont généralement ouvertes du lundi au vendredi, de 9h à 15h. Le meilleur moyen de reti-

Chicago pratique

Moyennes des températures et des précipitations

	Maximum (°C)	Minimum (°C)	Précipitations (mm)
Janvier	–6,5	–10,2	4,0
Février	1,0	–7,7	3,3
Mars	7,0	–2,4	6,5
Avril	15,0	4,0	9,2
Mai	21,0	9,0	7,9
Juin	26,0	14,0	10,2
Juillet	29,6	17,1	9,1
Août	27,8	16,5	8,8
Septembre	24,2	12,2	8,0
Octobre	18,0	5,6	5,7
Novembre	9,0	–0,3	5,2
Décembre	1,7	–6,5	5,3

rer de l'argent à Chicago consiste à utiliser sa carte bancaire (carte de guichet automatique). Attention, votre banque vous facturera des frais fixes pour chaque retrait; aussi vaut-il mieux éviter de retirer trop souvent de petites sommes.

Change

La plupart des banques changent facilement les devises européennes et canadienne, mais presque toutes demandent des **frais de change**. En outre, vous pouvez vous adresser à des bureaux ou comptoirs de change qui, en général, n'exigent aucune commission. Ces bureaux ont souvent des heures d'ouverture plus longues. En plus du comptoir situé au terminal n° 5 de l'aéroport O'Hare, il y a quelques bureaux de change dans le centre-ville:

American Express Travel Service: 605 N. Michigan Ave., Suite 105, 312-943-7840

World's Money Exchange: 203 N. LaSalle St., Suite M11, 312-641-2151

Bars et boîtes de nuit

Certains bars et boîtes de nuit exigent des droits d'entrée, particulièrement lorsqu'il y a un spectacle. À l'entrée, le pourboire n'est pas obligatoire et est laissé à la discrétion de chacun; le cas échéant, on appréciera votre geste. Pour les consommations par contre, un pourboire entre 10% et 15% est de rigueur.

Le Wrigley Building (à droite) après la pluie.

Selon le type de permis qu'ils possèdent, les bars, boîtes de nuit ou discothèques de Chicago peuvent demeurer ouverts jusqu'entre 2h et 5h du matin.

Notez que l'âge légal auquel il est permis de boire de l'alcool est de 21 ans.

Climat

Quand visiter Chicago?

Le printemps et l'automne procurent les journées et les nuits les plus confortables.

Les étés ont tendance à être très chauds et humides. Les nuits peuvent alors s'avérer inconfortables.

Les hivers sont quant à eux plus secs. Ils sont ensoleillés bien que froids, le mercure descend fréquemment au-dessous de zéro, et la neige est au rendez-vous! C'est durant cette saison que l'on comprend le mieux d'où Chicago tire son surnom de «Ville des Vents». En fait, le vent souffle toute l'année en provenance du lac Michigan. Alors qu'en été sa présence se fait agréable par la fraîcheur qu'il apporte, il contribue en hiver à refroidir de manière drastique la température.

Préparation des valises

En hiver, assurez-vous que vos valises contiennent tricot, gants, bonnet et écharpe. N'oubliez pas non plus votre manteau d'hiver le plus chaud et vos bottes.

En été, par contre, il peut faire extrêmement chaud. Munissez-vous donc alors de t-shirts, de chemises et de pantalons légers, de shorts ainsi que de lunettes de soleil. Un tricot peut toutefois être nécessaire en soirée.

Chicago pratique

Feux d'artifice lors de la fête nationale américaine du 4 juillet.

Rappelez-vous en outre que Chicago jouit de très belles plages, à deux pas du centre-ville. Pour bien en profiter, n'oubliez pas maillot de bain, serviette de plage, tongs et crème solaire.

Au printemps et en automne, il faut prévoir chandail, tricot et écharpe, sans oublier le parapluie.

Du printemps à l'automne, des chaussures flexibles, confortables et légères s'imposent pour vos visites des différents coins de la ville.

Décalage horaire

Lorsqu'il est midi à Montréal, il est 11h à Chicago. Le décalage horaire pour la France, la Belgique et la Suisse est de sept heures. Attention cependant aux changements d'horaire, qui ne se font pas aux mêmes dates qu'en Europe: aux États-Unis et au Canada, l'heure

d'hiver entre en vigueur le premier dimanche de novembre et prend fin le deuxième dimanche de mars.

Électricité

Partout aux États-Unis et en Amérique du Nord, la tension électrique est de 110 volts et de 60 cycles; aussi, pour utiliser des appareils électriques européens, devrez-vous vous munir d'un transformateur de courant adéquat, à moins que vos appareils ne soient équipés d'un convertisseur interne. En effet, de plus en plus de petits appareils électroniques (ordinateurs de poche, téléphones portables, appareils photo, rasoirs, etc.) sont équipés de chargeurs fonctionnant avec les tensions de 110 à 240 volts. Après vous en être assuré, il vous suffira alors de vous munir de l'adaptateur de prise de courant.

Les fiches d'électricité sont plates, et vous pourrez trouver des adaptateurs sur place ou, avant de partir, vous en procurer dans une boutique d'articles de voyage ou une librairie de voyage.

Heures d'ouverture

Magasins

Les magasins sont généralement ouverts du lundi au samedi, de 10h à 18h (parfois jusqu'à 19h), et de midi à 17h le dimanche. Les supermarchés ferment en revanche plus tard ou restent même, dans certains cas, ouverts 24 heures sur 24, sept jours sur sept.

Jours fériés

Voici la liste des jours fériés aux États-Unis. Notez que la plupart des magasins, services administratifs et banques sont fermés pendant ces jours.

New Year's Day (jour de l'An)
1ᵉʳ janvier

Martin Luther King Day (anniversaire de Martin Luther King Jr.)
troisième lundi de janvier

President's Day (anniversaire de George Washington et d'Abraham Lincoln)
troisième lundi de février

Memorial Day (jour du Souvenir)
dernier lundi de mai

Independence Day (fête nationale)
4 juillet

Labor Day (fête du Travail)
premier lundi de septembre

Columbus Day (jour de Colomb)
deuxième lundi d'octobre

Veterans Day (jour des Vétérans et de l'Armistice)
11 novembre

Thanksgiving Day (action de Grâce)
quatrième jeudi de novembre

Christmas Day (Noël)
25 décembre

Poste

On peut se procurer des timbres dans les bureaux de poste, bien sûr, mais aussi dans les grands hôtels. La levée du courrier s'effectue sur une base quotidienne.

Les bureaux de poste sont généralement ouverts du lundi au vendredi seulement. Voici quelques adresses centrales:

- Federal Center, 211 S. Clark St.

- 100 W. Randolph St.

- 222 Merchandise Mart Plaza, Suite 102

- 5 S. Wabash Ave.

Pourboire

Le pourboire s'applique à tous les services rendus à table, c'est-à-

Chicago pratique

Chicago Office of Tourism.

dire dans les restaurants et les autres endroits où l'on vous sert à table (la restauration rapide n'entre donc pas dans cette catégorie). Il est aussi de rigueur dans les bars, les boîtes de nuit et les taxis, entre autres.

Selon la qualité du service rendu, il faut compter environ 15% de pourboire sur le montant avant taxes. Il n'est pas, comme en Europe, inclus dans l'addition, et le client doit le calculer lui-même et le remettre à la serveuse ou au serveur. Service et pourboire sont une seule et même chose en Amérique du Nord.

Presse écrite

Les deux grands quotidiens de la Ville des Vents sont le **Chicago Sun-Times** (www.suntimes.com) et le **Chicago Tribune** (www. chicagotribune.com). De format tabloïd, le *Chicago Sun-Times* s'attarde davantage à l'actualité locale, alors que le *Chicago Tribune* couvre l'ensemble des nouvelles d'ordre national et international. De plus, l'édition du vendredi du *Chicago Tribune* contient une section «weekend» très utile pour savoir ce qui se passe sur la scène culturelle chicagoenne. Il en est de même du *Chicago Sun-Times*, qui propose, le même jour, son cahier «Weekend Plus».

Un hebdomadaire gratuit, publié le jeudi, propose par ailleurs un gros plan sur la vie culturelle de Chicago: le **Chicago Reader** (www. chicagoreader.com). Dans la même veine, mais un peu moins complet, le **New City** (www.newcitychicago. com) est également disponible gratuitement à partir du jeudi.

Le **Windy City Times** *(www. windycitytimes.com)* est, quant à lui, un hebdo gratuit s'adressant à la communauté gay.

Renseignements touristiques

L'office de tourisme de Chicago, **Choose Chicago** *(www. choosechicago.com)* gère des bureaux d'information touristique accessibles au public aux endroits suivants :

Chicago Waterworks (Pumping Station): *tlj horaire variable;* 163 E. Pearson St.

Chicago Cultural Center: *tlj horaire variable;* 77 E. Randolph St.,

Millennium Park Welcome Center: *tlj 9h à 17h (jusqu'à 19h en été);* 201 E. Randolph St.

En France

Visit USA Committee: 08 99 70 24 70 (frais d'appel), www.office-tourisme-usa.com

Restaurants

Chicago compte entre 6 000 et 7 000 restaurants! Tous ne sont pas dignes de mention, mais il est clair que la Ville des Vents possède sa part d'excellentes tables, dont certaines figurent parmi les meilleures aux États-Unis.

Dans le chapitre «explorer Chicago», vous trouverez la description de plusieurs établissements pour chaque quartier. Entre autres renseignements pratiques, nous indiquons l'horaire de chacun des établissements sélectionnés. Il est cependant à noter que la plupart des restaurants, surtout les adresses haut de gamme, font des pauses entre les repas, soit, grosso modo, entre 10h et 11h30 le matin et entre 14h et 17h l'après-midi.

L'échelle utilisée donne des indications de prix pour un repas complet sans les boissons pour une personne, avant la taxe (voir p. 190) et le service :

$	moins de 15$
$$	de 15$ à 25$
$$$	de 26$ à 40$
$$$$	plus de 40$

Parmi les restaurants proposés dans ce guide, certains se distinguent encore plus que les autres. Nous avons attribué à ceux-là le label Ulysse 🌀. Repérez-les en premier!

Santé

Pour les personnes en provenance d'Europe et du Canada, aucun vaccin n'est nécessaire. D'autre part, il est vivement recommandé, en raison du prix élevé des soins, de contracter une bonne assurance maladie-accident. Il existe différentes formules de protection, et nous vous conseillons de les comparer. Emportez vos médicaments, surtout ceux qui exigent une ordonnance. Sauf indication contraire, l'eau est potable partout en Illinois.

Chicago pratique

Sécurité

De façon générale, il est conseillé d'éviter de fréquenter seul les couloirs du métro de Chicago en dehors des heures de service, tôt le matin ou très tard le soir. De la même manière, vous devriez abandonner l'idée d'une promenade le soir dans un des grands parcs de la ville (Grant, Lincoln, etc.), à moins qu'il ne s'y tienne un événement quelconque qui attire une foule importante.

Le quartier des affaires, que l'on surnomme le Loop, est déserté après les heures de bureau. Bien que la situation ait tendance à s'améliorer depuis l'ouverture de nombreux théâtres, il demeure toujours plus prudent de ne pas s'y balader seul le soir ou la nuit. Évitez aussi le South Side (au sud de Cermak Road) et le West Side (à l'ouest de la Chicago River). La section nord de la ville est quant à elle considérée comme sûre, exception faite des environs du Merchandise Mart et des quartiers situés à l'ouest de la Gold Coast (à l'ouest d'Orleans Street).

Pour éviter des désagréments inutiles, il serait toujours plus sage d'opter systématiquement pour des déplacements en taxi à la nuit tombée, à moins de déjà bien connaître le quartier où vous allez.

En prenant les précautions courantes, il n'y a pas lieu d'être inquiet outre mesure pour sa sécurité. Si toutefois la malchance était avec vous, n'oubliez pas que le numéro de secours est le 911, ou le 0 en passant par le téléphoniste.

Taxes

Notez qu'une taxe de vente de 9,5% est systématiquement ajoutée à tout achat de produits non alimentaires à Chicago. La taxe sur l'hébergement est quant à elle de 16,4%. Enfin, la taxe sur les repas au restaurant est de 10,75%.

Télécommunications

Système téléphonique

Les cabines téléphoniques sont devenues très rares à Chicago, surtout au centre-ville où elles ont pratiquement disparu.

L'indicatif régional principal de Chicago est le **312**. Depuis quelques années toutefois, l'indicatif **773** est utilisé dans les quartiers en périphérie du centre. Il faut composer tous les chiffres, incluant l'indicatif régional, même lors d'appels locaux.

Tout au long du présent ouvrage, vous apercevrez aussi des numéros de téléphone dont le préfixe est 800, 866, 877 ou 888. Il s'agit alors de numéros sans frais, en général accessibles de tous les coins de l'Amérique du Nord.

Pour téléphoner à Chicago depuis le Québec, vous devez composer le 1-312 (ou 1-773), puis le numéro de votre correspondant. Depuis la France, la Belgique et la Suisse, il faut faire le 00-1-312 (ou 00-1-773), puis le numéro.

Visite guidée à bord d'un autobus à étage.

Pour joindre le Québec depuis Chicago, il faut composer le 1, l'indicatif régional et finalement le numéro. Pour atteindre la France, faites le 011-33, puis le numéro complet en omettant le premier zéro. Pour téléphoner en Belgique, composez le 011-32, l'indicatif régional, puis le numéro. Pour appeler en Suisse, faites le 011-41, l'indicatif régional et le numéro de votre correspondant.

Internet

De nombreux hôtels et cafés donnent accès gratuitement ou à prix raisonnable à des réseaux sans fil.

Pour ceux qui n'ont pas avec eux d'ordinateur portable, la ville compte plusieurs cybercafés. En voici quelques-uns :

Capital One 360 Café: 21 E. Chestnut St., 312-981-1236

Screenz: 2717 N. Clark St., 773-912-1565, www.screenz.com

Vous pouvez aussi vous rendre à la **Harold Washington Library** *(400 S. State St., 312-747-4300)*, où des terminaux avec accès Internet sont disponibles.

Visites guidées

De nombreuses formules de tours de ville sont proposées aux visiteurs désireux d'entreprendre leur découverte de Chicago au moyen d'un circuit guidé. En voici quelques-unes :

American Sightseeing 312-251-3100, www.americansightseeingchicago.com Circuits à bord d'autobus.

Chicago pratique

Croisière sur la Chicago River.

Gray Line Chicago
www.grayline.com

Circuits à bord d'autobus.

Chicago Architecture Foundation
312-922-3432, www.architecture.org

Découverte des richesses architecturales de la ville à pied, en bus ou en bateau. Les visites à pied et en bus partent du Shop & Town Center de la fondation, au 224 South Michigan Avenue. L'embarquement pour les croisières commentées se fait au quai situé à l'angle sud-est du Michigan Avenue Bridge et de Wacker Drive (voir «Chicago's First Lady Cruises», plus loin). Il est également possible de louer au Shop & Tour Center des audioguides en différentes langues, dont le français, pour apprécier les bâtiments et les gratte-ciel du Loop.

Chicago Double Decker Co.
Water Tower, 773-648-5000, www.coachusa.com/chicagotrolley

Visite de la ville à bord d'un autobus à étage, avec possibilité de monter et descendre à 18 endroits différents dans la ville.

Chicago Greeter
sur réservation, 312-744-8000, www.chicagogreeter.com

Visites thématiques en compagnie d'un citoyen bénévole de Chicago désireux de partager ses connaissances sur la ville et sa fierté d'y habiter.

Chicago's First Lady Cruises
départs de l'angle sud-est du Michigan Avenue Bridge et de Wacker Drive, 847-358-1330, www.cruisechicago.com

Croisières commentées sur la Chicago River organisées par la Chicago Architecture Foundation.

Bike Chicago

Plusieurs départs chaque jour en été du Millennium Park, de Navy Pier et de la North Avenue Beach. Comptez 39$ pour les adultes et 29$ pour les enfants, incluant la location de vélos pour la durée de la visite; 312-729-1000, www.bikechicago.com

Visites guidées à vélo.

Bobby's Bike Hike

Départs quotidiens du 465 N. McClurg Court à 9h30, 10h, 13h30 et 19h. Comptez 45$ pour les adultes et 20$ pour les enfants, incluant la location d'un vélo pour la durée de la visite; 312-915-0995, www.bobbysbikehike.com

Visites guidées à vélo permettant de découvrir les principaux monuments du centre-ville.

Voyageurs à mobilité réduite

Chicago s'efforce de rendre de plus en plus d'édifices et d'établissements accessibles aux personnes handicapées. Pour de plus amples renseignements sur les quartiers que vous projetez de visiter, adressez-vous au **Mayor's Office for People with Disabilities** *(312-744-7050, www.cityofchicago.org/disabilities)*.

Le site Internet *www.easyaccesschicago.org* indique les attraits, restaurants, hôtels et autres établissements qui sont accessibles aux personnes à mobilité réduite.

L'organisme américain suivant est aussi en mesure de fournir des renseignements utiles aux voyageurs à mobilité réduite: **Society for Accessible Travel and Hospitality** *(347 Fifth Ave., Suite 605, New York, NY 10016, 212-447-7284, www.sath.org)*.

Chicago sur Internet

À l'intention des internautes, voici quelques sites pouvant les aider à la planification d'un séjour à Chicago:

www.choosechicago.com
Site officiel de l'office de tourisme de Chicago.

www.chicagotraveler.com
Site d'information qui permet de télécharger des guides thématiques audio gratuits (en anglais).

www.chicagohistory.org
Site de la Chicago Historical Society.

www.chicagoparkdistrict.com
Pour en savoir plus sur les activités organisées dans les grands parcs de la ville.

www.cityofchicago.org
Site officiel de la Ville de Chicago.

www.chicagoarchitecture.info
Base de données très complète sur l'architecture à Chicago.

Chicago pratique

Calendrier des événements

Février

Chinese New Year Parade
dans le Chinatown, sur Wentworth Ave. et Cermak Rd., www.chicagochinatown.org
Défilé soulignant le Nouvel An chinois.

Mars

St. Patrick's Day Parade
www.chicagostpatsparade.com
Défilé marquant la fête des Irlandais.

Juin

Chicago Blues Festival
Millennium Park

Chicago Gospel Festival
Millennium Park

La Chicago River teinte en vert lors de la St. Patrick's Day.

Just for Laughs Chicago
www.justforlaughschicago.com
Festival de l'humour lancé en 2009 par l'équipe du Festival Juste pour rire de Montréal.

Grant Park Music Festival
www.grantparkmusicfestival.com
Ouverture de ce festival de musique classique en plein air qui dure tout l'été.

Gay and Lesbian Pride Parade
angle Halsted St. et Belmont Ave., www.chicagopridecalendar.org
Défilé annuel organisé par la communauté gay, le dernier dimanche de juin.

Ravinia Festival
Ravinia Park, Highland Park, 847-266-5100, www.ravinia.org
Ouverture de ce grand festival de musique en plein air qui s'étend jusqu'au mois de septembre.

Juillet

Independence Day Concert and Fireworks
Navy Pier, 312-595-PIER
Célébration de la fête nationale des Américains.

Chicago pratique

Pitchfork Music Festival
Union Park, 1501 W. Randolph St., www.pitchforkmusicfestival.com
Festival de musique alternative parrainé par le magazine Internet *Pitchfork*.

Taste of Chicago
Grant Park, www.tasteofchicago.us
Festival gastronomique organisé par les restaurateurs de la ville, à la fin de juin et au début de juillet.

Août

Chicago Air and Water Show
North Avenue Beach, www.chicagoairandwatershow.us
Spectacle de voltige aérienne.

Chicago Jazz Festival
Grant Park, www.chicagojazzfestival.us

Lollapalooza
Grant Park, www.lollapalooza.com
Festival consacré au rock alternatif, jadis itinérant mais qui s'est maintenant installé à Chicago.

1. Chicago Air and Water Show.

2. New Year's Eve Fireworks.

Octobre

Chicago International Film Festival
www.chicagofilmfestival.org
Festival international du film de Chicago.

Bank of America Chicago Marathon
www.chicagomarathon.com

Novembre

City of Chicago Tree Lighting Ceremony
Daley Center Plaza
Cérémonie de mise en lumière de l'arbre de Noël.

Décembre

New Year's Eve Fireworks
le 31 décembre, au Navy Pier
Feux d'artifice du Nouvel An.

Chicago pratique

index

lexique
français-anglais ↘

Bonjour	*Hello*	S'il vous plaît	*Please*
Bonsoir	*Good evening/night*	Merci	*Thank you*
Bonjour, au revoir	*Goodbye*	De rien, bienvenue	*You're welcome*
Comment ça va?	*How are you?*	Excusez-moi	*Excuse me*
Ça va bien	*I'm fine*	J'ai besoin de...	*I need...*
Oui	*Yes*	Je voudrais...	*I would like...*
Non	*No*	C'est combien?	*How much is this?*
Peut-être	*Maybe*	L'addition, s'il vous plaît	*The bill please*

Directions

Où est le/la...?	*Where is ...?*	entre	*between*
Il n'y a pas de...	*There is no...,*	ici	*here*
Nous n'avons pas de...	*We have no...*	là, là-bas	*there, over there*
à côté de	*beside*	loin de	*far from*
à l'extérieur	*outside*	près de	*near*
à l'intérieur	*in, into, inside*	sur la droite	*to the right*
derrière	*behind*	sur la gauche	*to the left*
devant	*in front of*	tout droit	*straight ahead*

Le temps

après-midi	*afternoon*	avril	*April*
aujourd'hui	*today*	mai	*May*
demain	*tomorrow*	juin	*June*
heure	*hour*	juillet	*July*
hier	*yesterday*	août	*August*
jamais	*never*	septembre	*September*
jour	*day*	octobre	*October*
maintenant	*now*	novembre	*November*
matin	*morning*	décembre	*December*
minute	*minute*	nuit	*night*
mois	*month*	Quand?	*When?*
janvier	*January*	Quelle heure est-il?	*What time is it?*
février	*February*	semaine	*week*
mars	*March*	dimanche	*Sunday*

lundi	*Monday*	vendredi	*Friday*
mardi	*Tuesday*	samedi	*Saturday*
mercredi	*Wednesday*	soir	*evening*
jeudi	*Thursday*		

Au restaurant

banquette	*booth*	café	*coffee*
chaise	*chair*	dessert	*dessert*
cuisine	*kitchen*	entrée	*appetizer*
salle à manger	*dining room*	plat	*dish*
table	*table*	plat principal	*main dish / entree*
terrasse	*patio*	plats végétariens	*vegetarian dishes*
toilettes	*washroom*	soupe	*soup*
		vin	*wine*
petit déjeuner	*breakfast*		
déjeuner	*lunch*	saignant	*rare*
dîner	*dinner / supper*	à point (médium)	*medium*
		bien cuit	*well done*

Achats

appareils électroniques	*electronic equipment*	équipement photographique	*photography equipment*
artisanat	*handicrafts*	journaux	*newspapers*
boutique	*store / boutique*	librairie	*bookstore*
cadeau	*gift*	marché	*market*
carte	*map*	pharmacie	*pharmacy*
carte postale	*postcard*	supermarché	*supermarket*
centre commercial	*shopping mall*	timbres	*stamps*
chaussures	*shoes*	vêtements	*clothing*
coiffeur	*hairdresser / barber*		
équipement informatique	*computer equipment*		

Pour mieux échanger avec les Chicagoens,
procurez-vous le guide de conversation
L'anglais pour mieux voyager en Amérique.

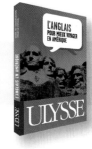

Crédits photographiques

p. 5 © Dreamstime.com/Daniel Korzeniewski, p. 6 © Dreamstime.com/Marchello74, p. 8 © Philippe Renault/ hemis.fr, p. 8 © Choose Chicago, p. 8 © Dreamstime.com/Kenneth Sponsler, p. 8 © City of Chicago, p. 9 © Dreamstime.com/Agustin Paz, p. 9 © Dreamstime.com/Joe Royer, p. 9 © iStockphoto.com/John Stelzer, p. 9 © Dreamstime.com/Ssuaphoto, p. 9 © Karine Mancuso, p. 9 © Cesar Russ Photography, p. 11 © Dreamstime.com/Fotoluminate, p. 13 © Buddy Guy's Legends, p. 15 © Dreamstime.com/Jim Zielinski, p. 17 © Dreamstime.com/F11photo, p. 18 © Dreamstime.com/Noel Powell, p. 18 © City of Chicago, p. 19 © Adam Alexander Photography, p. 20 © Shutterstock.com/Flashon Studio, p. 21 © Dreamstime.com/Victor Pelaez Torres, p. 22 © iStockphoto.com/James Tung, p. 22 © United Center, p. 23 © Trump International Hotel & Tower, p. 23 © Skydeck Chicago at Willis Tower, p. 24 © Anjali Pinto, p. 24 © flickr.com/Tripp, p. 25 © Grace, p. 25 © Adam Alexander, p. 26 © Dreamstime.com/Rick Sargeant, p. 29 © Dreamstime.com/John Kershner, p. 33 © Todd Rosenberg, p. 34 © Claude Morneau, p. 35 © iStockphoto.com/Pgiam, p. 36 © Dreamstime. com/Evgeny Moerman, p. 38 © iStockphoto.com/Jeremy Edwards, p. 39 © Dreamstime.com/Kenneth Sponsler, p. 40 © Dreamstime.com/Max Herman, p. 41 © The Berghoff Restaurant, p. 43 © Dreamstime. com/Glenn Nagel, p. 44 © Dreamstime.com/Bayda127, p. 46 © Linda Kohrman, p. 48 © Dreamstime.com/ Peter Spirer, p. 49 © Dreamstime.com/Benkrut, p. 50 © City of Chicago, p. 52 © Dreamstime.com/F11photo, p. 55 © Dreamstime.com/Artdirection, p. 56 © Dreamstime.com/F11photo, p. 58 © Hedrich Blessing, p. 60 © Adam Alexander Photography, p. 62 © Dreamstime.com/Ron Chapple Studios, p. 63 © iStockphotot. com/tromprout, p. 65 © iStockphoto.com/Steve Geer, p. 66 © Dreamstime.com/Rcavalleri, p. 67 © Dreamstime. com/Benkrut, p. 69 © Dreamstime.com/Songquan Deng, p. 72 © Dreamstime.com/Archana Bhartia, p. 73 © Dreamstime.com/Lillian Obucina, p. 74 © Dreamstime.com/Kandy Williams, p. 75 © Choose Chicago, p. 76 © iStockphoto.com/Paul Velgos, p. 78 © flickr.com/Edsel Little, p. 80 © Dreamstime.com/Gemmav Stokes, p. 82 © Philippe Renault/hemis.fr, p. 85 © Dreamstime.com/Ffooter, p. 86 © iStockphoto.com/Paul Velgos, p. 90 © iStockphoto.com/bluehill75, p. 91 © Dreamstime.com/Glenn Nagel, p. 92 © Dreamstime.com/Victor Pelaez Torres, p. 92 © The Newberry, Chicago, p. 93 © Sofitel Chicago Water Tower, p. 94 © Philippe Renault/ hemis.fr, p. 95 © Claude Morneau, p. 97 © Photo by Eric Pancer, Chicago, IL/Flickr: vxla, p. 99 © Philippe Renault/ hemis.fr, p. 100 © Arturo Sotillo, p. 101 © Matt Griffin, p. 103 © Philippe Renault/hemis.fr, p. 105 © Dreamstime. com/Victor Pelaez Torres, p. 106 © Dreamstime.com/James Wright, p. 107 © Dreamstime.com/Erdal Bayhan, p. 110 © Philippe Renault/hemis.fr, p. 111 © Dreamstime.com/Lisa Mckown, p. 112 © Dreamstime.com/ Steveheap, p. 114 © Dreamstime.com/Noel Powell, p. 116 © Dreamstime.com/Paula Masterson, p. 121 © Janet Thomas, p. 122 © iStockphoto.com/Acky Yeung, p. 125 © iStockphoto.com/Steve Geer, p. 126 © City of Chicago, p. 128 © iStockphoto.com/Steve Geer, p. 129 © Dreamstime.com/Joanna Waksmundzka, p. 130 © Dreamstime.com/Benkrut, p. 131 © iStockphoto.com/Gregory Olsen, p. 133 © iStockphoto.com/ Steve Geer, p. 136 © Dreamstime.com/Thomas Barrat, p. 137 © iStockphoto.com/Steve Geer, p. 138 © iStockphoto.com/Steve Geer, p. 139 © Dreamstime.com/Mario Savoia, p. 140 © Dreamstime.com/Peter Spirer, p. 141 © iStockphoto.com/Steve Geer, p. 143 © The Second City Inc. p. 144 © Dreamstime.com/Wendy Goeckner, p. 146 © Shutterstock/Chad Bontrager, p. 149 © iStockphoto.com/Steve Geer, p. 150 © Adam Alexander Photography, p. 151 © iStockphoto.com/stevegeer, p. 153 © iStockphoto.com/John Rodriguez, p. 155 © Blackbird, p. 157 © Stanislav Grezdo, p. 159 © Cory Dewald, p. 160 © Dreamstime.com/Thomas Barrat, p. 162 © Dreamstime.com/Rudi1976, p. 165 © Shutterstock/Jay Crihfield, p. 167 © Dreamstime.com/Grzegorz Kieca, p. 168 © Dreamstime.com/Rudi1976, p. 170 © iStockphoto.com/Candice Popik, p. 171 © Dreamstime. com/Jesse Kraft, p. 172 © iStockphoto.com/stevegeer, p. 173 © The Drake Hotel, p. 175 © Taggart Sorensen, p. 177 © iStockphoto.com/lillisphotography, p. 179 © Dreamstime.com/Stephen Finn, p. 180 © Philippe Renault/ hemis.fr, p. 181 © Philippe Renault/hemis.fr, p. 182 © Adam Alexander Photography, p. 183 © Philippe Renault/ hemis.fr, p. 185 © Mathieu Dupuis, p. 186 © iStockphoto.com/Mark Shahaf, p. 188 © Dreamstime.com/ Benkrut, p. 191 © Philippe Renault/hemis.fr, p. 192 © Dreamstime.com/Ratanavi, p. 194 © Dreamstime.com/Elegeyda, p. 196 © Dreamstime.com/Wendy Goeckner, p. 197 © Martin Liao, p. 199 © Dreamstime.com/Rudi1976

Curieux d'en savoir encore plus?
Procurez-vous le **guide Ulysse** *Chicago*. 320 pages
et 36 cartes pour explorer la ville en connaisseur.